新しい世界を生きるための

サイバー社会
用語集

一田和樹
江添佳代子

原書房

目次

プロローグとしての
13 のクイズ

　本書は技術から少し離れたサイバー用語の解説書である。サイバーというと、コンピュータやプログラミング、ネットワークなど技術的なイメージを持つ方も多いと思う。しかしご存じのようにサイバーはすでに社会のインフラとなり、日常生活のあらゆる場面に浸透している。水や電気や交通機関が日常生活で必要なようにネットも必要であり、社会や人々の行動に大きな影響を与えている。その一方でサイバーが私たちの社会のなにをどのように変えているかは断片的にしか伝わってこない。

　たとえば三菱電機がハッキングされた件のように過剰なくらい騒がれるケースがある一方で、本書で取り上げた多くのハッキング事件のように、事件そのものが伏せられたものや、十分な情報がないものも多い。新聞に書いてあることを信用していればいい時代は終わった。

私たちの社会は大きな変化に直面しており、その変化は水が土に染みこむようにゆっくりと、しかし想像よりも早く広がっている。気づかない間に、考え方や行動がネットの影響で変化し、それが社会や国家のあり方も変えていっている。

　まずは 13 問のクイズに挑戦していただきたい。これらのクイズに正解できたら、あなたはこの本を読む必要がない。知るべきことを知っている人だと言えるだろう。もしクイズに正解することができなかったり、正解を意外と感じたなら、本書を読むことで少しだけ世界を理解しやすくなるかもしれない。

Q1 世界の SNS で利用者が多い上位 10 位にランクインしていないものをひとつだけ選んでください。

① フェイスブック
② ツイッター
③ インスタグラム
④ WhatsApp
⑤ WeChat

Q2 2014 年に公開されたロシアの軍事ドクトリンには非戦闘による戦争の重要性が記されていました。その元となる考えを提唱したロシアの参謀総長ワレリー・ゲラシモフは現代の戦争におけるサイバー戦などの非戦闘行為の比率について下記のいずれと指摘したでしょうか？

① 10% 未満
② 80%
③ 50%

Q3 個人向けスパイウェアの市場は拡大し、ストーカーウェアと呼ばれるように悪用が後を絶ちません。そのことに関する記述で正しいものをいくつでも選んでください。

① アメリカの家庭内暴力シェルターで、家庭内暴力被害者の 85% のスマホにスパイウェアが仕込まれているのが発見され

た（虐待者が行動を追跡するために使用）

② 　アメリカで家庭内暴力加害者の 71% がスパイウェアで被害者の PC を監視していたことがわかった

③ 　オーストラリアでは家庭内暴力被害者の 74% が追跡アプリを仕込まれていた

④ 　日本の調査では家庭内暴力の被害者でスパイウェアを仕込まれていたのは 10% 未満に留まった

Q4　**日本の自衛隊では、毎年ベトナム人民軍を招聘し、サイバー教育を行っています。現在、同軍傘下のサイバー部隊「47 部隊」の規模は自衛隊のサイバー防衛隊と比較してどれくらいでしょうか？**

① 　自衛隊の半分程度

② 　自衛隊とほぼ同じ

③ 　自衛隊の 45 倍以上

Q5　**世界のいくつの国がネット世論操作を行っているでしょうか？**

① 　10 カ国未満

② 　10 カ国以上 50 カ国未満

③ 　50 カ国以上 80 カ国未満

④ 　80 カ国以上

Q6 ネット世論操作企業について正しいものをいくつでも選んでください。

① 一般的な方法で検索して依頼することができる業者もある
② 最低価格は数十セントから可能
③ 企業によっては依頼には特別な紹介が必要である

Q7 中国は自国内のインターネットの利用を制限、検閲、監視していますが、そのシステムを他国に提供しているでしょうか？

① 提供していない
② 一部の同盟国に実験的に提供している
③ ビジネスとして販売している

Q8 フェイスブックグループ（フェイスブック、WhatsApp、フェイスブック・メッセンジャー、インスタグラム）の利用者のうち、ヨーロッパと北米の利用者は何％でしょう？

① 50% 以上
② 10% 以上 50% 未満
③ 10% 未満

Q9 『民主主義の死に方──二極化する政治が招く独裁への道』
という本では、民主主義が死ぬ（独裁や全体主義に移行す
る）原因に言及しています。それは次のどれでしょうか？

① 愚かな大衆

② ニートやネット廃人

③ 選挙

④ ネオリベラリズム

Q10 中国の通信機器メーカー、ファーウェイは海外に AI 監視
システムを輸出しています。AI 監視システムを導入してい
る国の何 % が同社製品を導入しているでしょう？

① 30% 未満

② 30% 以上 50% 未満

③ 50% 以上 80% 未満

④ 80% 以上

Q11 「完全な民主主義」の国の人口は世界の何 % でしょうか？
2006 年では 13%（28 カ国）でした。

① 63.2%

② 32.8%

③ 11.5%

④ 4.5%

Q12 ベネズエラでは国民に ID カードを配布し、年金や各種手当ての支給、投票へのインセンティブの提供を始めとしたさまざまなサービスを行っています。このサービスのシステムを中心となって構築した企業は次のどれでしょうか？

① IBM

② ロシアの Protei

③ 中国のファーウェイ

④ 中国の ZTE

⑤ ブラジルの FKR

Q13 日本が「完全な民主主義」でなくなったのはいつでしょうか？

① 2014 年

② 2008 年

③ まだ「完全な民主主義」である

●解答編

Q1 世界の SNS で利用者が多い上位 10 位にランクインしていないものをひとつだけ選んでください。

① フェイスブック

② ツイッター

③ インスタグラム

④ WhatsApp

⑤ WeChat

解答　② ツイッター

　　日本では利用者の多いツイッターだが、世界では必ずしもそうではない。利用者数が圧倒的に多いのはフェイスブックならびにそのグループ（インスタグラム、WhatsApp、フェイスブック・メッセンジャー）である。次いで多いのは中国の SNS=「WeChat」（メッセンジャー）、「微博（ウェイボー）」（ツイッターライクなサービス）、「tiktok」「QQ」「QZone」である。

　　世界の SNS はフェイスブックグループと中国系 SNS の寡占状態にあると言っても過言ではないだろう。SNS でニュースなどの情報を確認している人も多く、この巨大なメディアの寡占状態の影響は計り知れない。

　　なお、統計の中には中国の SNS を含めていないものも多く（含めていても WeChat のみなど）、含めた統計で確認すると

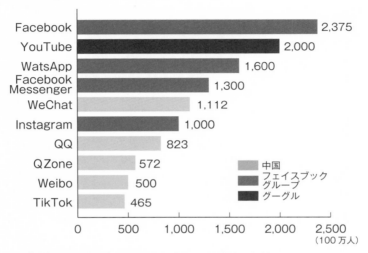

2019年SNSアクティブユーザー数

Facebook	2,375
YouTube	2,000
WatsApp	1,600
Facebook Messenger	1,300
WeChat	1,112
Instagram	1,000
QQ	823
QZone	572
Weibo	500
TikTok	465

凡例: 中国／フェイスブックグループ／グーグル

横軸: 0 500 1,000 1,500 2,000 2,500 （100万人）

統計ポータル sta2sta（h5ps://www.sta2sta.com/sta2s2cs/272014/
global-social-networks-ranked-by-number-of-users/）による。
オリジナルデータは『We Are Social；Varioussources(Companydata)』Hootsuite より。

このような結果になる。

Q2 2014年に公開されたロシアの軍事ドクトリンには非戦闘に
よる戦争の重要性が記されていました。その元となる考えを
提唱したロシアの参謀総長ワレリー・ゲラシモフは現代の戦
争におけるサイバー戦などの非戦闘行為の比率について下
記のいずれと指摘したでしょうか？

① 10% 未満

② 80%

③ 50%

解答　②　80%

　　ゲラシモフは現代の戦争においては、非軍事活動の重要度が大きいと述べ、軍事行動と非軍事行動の比率は 1 対 4 とした。非戦闘行為にはフェイクニュースの作成と流布やサイバー攻撃なども含まれ、重要な要素となっている。この考え方は経済や思想も含めたあらゆるものを戦争の兵器として活用するハイブリッド戦（207 ページ参照）の元となった。ゲラシモフの考え方は 2014 年のロシア軍事ドクトリンに反映された。つまり、ロシアはその時から国家としてハイブリッド戦に取り組んでいることを意思表示したのである。

　　なお、これに先立つ 1999 年、中国のふたりの軍人が『超限戦』（127 ページ参照）を刊行した。ハイブリッド戦に近い考え方だが、戦争は国家対国家でなく、あらゆるレベルで発生するとした点が異なる。国家対企業、国家対テロリストでも戦争になり得るとし、アルカイダがアメリカに戦争を仕掛ける可能性を示唆した。その 2 年後の 2001 年にアメリカ同時多発テロが発生し、予言は的中した。

Q3　個人向けスパイウェアの市場は拡大し、ストーカーウェアと呼ばれるように悪用が後を絶ちません。そのことに関する記述で正しいものをいくつでも選んでください。

①　アメリカの家庭内暴力シェルターで、家庭内暴力被害者の 85% のスマホにスパイウェアが仕込まれているのが発見された（虐待者が行動を追跡するために使用）。

②　アメリカで家庭内暴力加害者の 71% がスパイウェアで被害

者の PC を監視していたことがわかった。
③　オーストラリアでは家庭内暴力被害者の 74% が追跡アプリ
を仕込まれていた。
④　日本の調査では家庭内暴力の被害者でスパイウェアを仕込ま
れていたのは 10% 未満に留まった。

解答　④以外は全部正しい

　　個人向けスパイウェア（ストーカーウェアと呼ばれること
もある）は想像以上に普及している。それぞれの出典は次
の通り。①については『Smartphones Are used To Stalk,
Control Domestic Abuse Victims』（2014 年 9 月 14 日、Aarti
Shahani、NPR）、②は『Spying Inc.』（2015 年、Washington
and Lee Rev72, Danielle Keats Citron）、③は『Technology-
facilitated Stalking : Findings and Recommendations from
the SmartSafe Project』（2013 年、Delaine Woodlock,
Domestic Violence Resource Centre Victoria）。

　　監視は国家や企業などが行うものだけでなく、個人が私的目
的のために行うためにも用いられるようになっている。狙われ
た相手は個人情報はもとより、コミュニケーションの相手や内
容まで盗まれ、リアルタイムで位置まで捕捉されてしまう。家
庭内暴力に使われていることから考えても、明らかに規制の必
要な凶器と考えてもよいものと言える。その知識を持って利用
できる者（検知と防御も含め）と、そうでない者との差は広が
る一方である。

Q4 日本の自衛隊では、毎年ベトナム人民軍を招聘し、サイバーの教育を行なっています。現在、同軍傘下のサイバー部隊「47部隊」の規模は自衛隊のサイバー防衛隊と比較してどの程度の規模でしょうか?

① 自衛隊の半分程度

② 自衛隊とほぼ同じ

③ 自衛隊の約45倍

解答 ③

　ベトナムの「47部隊」の人数はおよそ1万人、これに対して自衛隊のサイバー防衛隊は220人(2019年度予定)である。サイバー関連全体としても約430人に留まり、ベトナムのおよそ23分の1にすぎない。

[参考情報]
平成31年度 防衛関係予算について(2019年、防衛省)
　https://www.mod.go.jp/j/yosan/yosan_gaiyo/2019/kanren.pdf
『平成30年度版防衛白書』7　サイバー空間における対応
　https://www.mod.go.jp/j/publication/wp/wp2018/html/n31207000.html
サイバーセキュリティ
　https://www.mod.go.jp/j/approach/exchange/cap_build/vietnam/h310315.html
ベトナム軍に1万人の「サイバー部隊」 体制批判を監視
　https://www.nikkan.co.jp/articles/view/00456103

Q5 世界のいくつの国がネット世論操作を行っているでしょうか?

① 10 カ国未満

② 10 カ国以上 50 カ国未満

③ 50 カ国以上 80 カ国未満

④ 80 カ国以上

解答 ③ 70 カ国

公開資料を基にまとめられた「The Global Disinformation Order: 2019 Global Inventory of Organised Social Media Manipulation」(2019 年、Samantha Bradshaw & Philip N. Howard、Working Paper 2019.3. Oxford, UK: Project on Computational Propaganda. comprop.oii.ox.ac.uk. 23 pp.、https://comprop.oii.ox.ac.uk/research/cybertroops2019/) による数字。あくまでも公開資料を基にしているため、実数はさらに多いと推定される。

この資料は 3 年前から毎年発行されており、毎年ネット世論操作を行っている国の数は増加し、ネット世論操作産業の市場もまた拡大している。しかもこの資料に掲載されているのは公開された情報の中から選んだものだけ、つまり一部にしか過ぎない。

Q6 ネット世論操作企業について正しいものをいくつでも選んでください。

① 一般的な方法で検索して依頼することができる業者もある

② 最低価格は数 10 セントから可能

③ 企業によっては依頼には特別な紹介が必要である

解答　全て正しい

　NATO StratCom COE のまとめた資料によると、簡単に検索して見つけることのできる業者からコンタクトの難しい業者まで、サービス内容や価格の異なるさまざまな業者が存在している。多種多様な企業がネット世論操作産業に参入していることがわかる。

［参考情報］

『The Black Market for Social Media Manipulation』（2018 年 11 月、NATO StratCom COE）

https://www.stratcomcoe.org/black-market-social-media-manipulation）

『世論操作は数十セントから可能だった。NATO 関連機関が暴いたネット世論操作産業の実態』（2019 年 3 月 24 日、ハーバービジネスオンライン、https://hbol.jp/188635）

Q7 中国は自国内のインターネットの利用を制限、検閲、監視していますが、そのシステムを他の国に提供しているでしょうか？

① 提供していない

② 一部の同盟国に実験的に提供している

③ ビジネスとして販売している

解答　③

　一帯一路と連携する形で世界各国に対して監視システムの

　販売を始めており、民主主義への脅威と捉えられている。こう
した監視システムはパッケージとして提供されることも少な
くない。社会インフラとして導入された場合、その国の IT 市
場に参入するためには、こうしたシステムとの連携が必要にな
ることも増加する。

　ロシアも同様に国内で使用していた SORM システムを外販
している。中国やロシアのこうしたビジネスは世界各国に権威
主義を輸出しているに等しく、民主主義への脅威として捉えら
れている。それぞれチャイナモデル、ロシアモデルと呼ばれて
いる。

［参考情報］

『Exporting digital authoritarianism The Russian and
　Chinese models』（2019 年 8 月、Alina Polyakova and Chris
　Meserole、ブルッキングス研究所）
　　https://www.brookings.edu/research/exporting-digital-
　　authoritarianism/）
『Freedom on the Net 2018 The Rise of Digital
　Authoritarianism』（2019 年、Freedom House）
　　https://freedomhouse.org/report/freedom-net/freedom-
　　net-2018/rise-digital-authoritarianism）
『The Global Expansion of AI Surveillance』（2019 年 9 月 17 日、
　Steven Feldstein、カーネギー国際財団）
　　https://carnegieendowment.org/2019/09/17/global-
　　expansion-of-ai-surveillance-pub-79847）
『Mapping China's Tech Giants』（2019 年 4 月 18 日、オーストラ
　リア戦略政策研究所）
　　https://www.aspi.org.au/report/mapping-chinas-tech-
　　giants）

『世界に拡大する中露の監視システムとデジタル全体主義』（2019年10月7日、ハーバービジネスオンライン）
https://hbol.jp/203465

Q8 中国の通信機器メーカー、ファーウェイは海外にAI監視システムを輸出しています。AI監視システムを導入している国の何％が同社製品を導入しているでしょう？

① 30％未満

② 30％以上50％未満

③ 50％以上80％未満

④ 80％以上

解答 ③ **ただしいわゆる市場シェアではなく、AI監視システムを導入している国の数ベースである（複数の企業から導入している国も多い）。ファーウェイの導入国は60％を超えており、圧倒的多数を占めている。**

　中国系企業のAI監視システムの世界シェアは圧倒的であり、トップを走るファーウェイは戦略的分野として位置づけ、注力している同社の監視システムソリューションは法人向け事業に含まれており、その年商は74億4900万元（およそ1.2兆円。2018年度アニュアルレポートより）。

［参考情報］
『The Global Expansion of AI Surveillance』（2019年9月17日、

Steven Feldstein、カーネギー国際財団)
https://carnegieendowment.org/2019/09/17/global-
expansion-of-ai-surveillance-pub-79847)

Q9 『民主主義の死に方——二極化する政治が招く独裁への道』
という本では、民主主義が死ぬ原因に言及しています。それ
は次のどれでしょうか?

① 愚かな大衆

② ニートやネット廃人

③ 選挙

④ クーデター

解答　③　選挙

　選挙の結果によって民主主義が破壊されている現実を分析
したスティーブン・レビツキー & ダニエル・ジブラット『民
主主義の死に方——二極化する政治が招く独裁への道』(2018
年) によれば、投票で選ばれた指導者が独裁に走り、民主主義
を破壊するのだという。アメリカのトランプを例にあげて、そ
の理由とこれまでその破壊が起こらなかったメカニズムを解
説している。

　理由は 2 つあり、そのひとつは SNS が世界的に広まったこ
とである。

[参考情報]
『死に瀕する民主主義』(2018 年 12 月 8 日、ハーバービジネスオンライン)

https://hbol.jp/180606

Q10 フェイスブックグループ（フェイスブック、WhatsApp、フェイスブック・メッセンジャー、インスタグラム）の利用者のうち、ヨーロッパと北米の利用者は何%でしょう？

① 50% 以上

② 10% 以上 50% 未満

③ 10% 未満

解答 ③ **70% 以上がヨーロッパ、北米以外（ラテンアメリカ、アジア、アフリカ）である。**

欧米圏での利用者が多いようなイメージのあるフェイスブックグループであるが、実際の利用者はそれ以外の方が圧倒的に多い。利用者が多いということは社会への影響力も大きく、多くの地域でネット世論操作やヘイトなどの温床となっている。

［参考情報］
『Facebook Q3 2019 Results』（2019 年 10 月 30 日、フェイスブック）
https://s21.q4cdn.com/399680738/files/doc_financials/2019/q3/Q3-2019-Earnings-Presentation.pdf）

Q11 「完全な民主主義」の国の人口は世界の何%でしょうか？
2006 年では 13%（28 カ国）でした。

① 63.2%

② 32.8%

③ 11.5%

④ 4.5%

解答 ④

　　人口で 4.5%、GDP では 20% を下回る。「完全な民主主義」
という言葉は、IMF と『エコノミスト』誌のインテリジェン
ト・ユニットが定期的に発表している民主主義指数で用いられ
ている言葉である。この指標についての詳細は本文を参照。
「完全な民主主義」の国ではネット世論操作産業は成長できな
い。世界のほとんどの国が「完全な民主主義」ではないこと
が、ネット世論操作産業成長の重要な要因となっている。

Q12　　ベネズエラでは国民に ID カードを配布し、年金や各種手
　　　当ての支給、投票へのインセンティブの提供をはじめとした
　　　さまざまなサービスを行っています。このサービスのシステ
　　　ムを中心となって構築した企業は次のどれでしょうか？

① IBM

② ロシアの Protei

③ 中国のファーウェイ

④ 中国の ZTE

⑤ ブラジルの FKR

解答 ④

　　前述のように中国は監視システムの販売を進めており、その

中心となっているのが、ファーウェイや ZTE である。ZTE は
ベネズエラで社会インフラとなる包括的なネット世論操作シ
ステムを構築した。

[参考情報]
「世界に蔓延するネット世論操作産業。市場をリードする ZTE と
　HUAWEI」(2019 年 10 月 21 日、ハーバービジネスオンライン)
　https://hbol.jp/204608
「Exporting digital authoritarianism The Russian and
　Chinese models」(2019 年 8 月、Alina Polyakova and Chris
　Meserole、ブルッキングス研究所)
　https://www.brookings.edu/research/exporting-digital-
　authoritarianism/
『The Global Expansion of AI Surveillance』(2019 年 9 月 17 日、
　Steven Feldstein、カーネギー国際財団)
　https://carnegieendowment.org/2019/09/17/global-
　expansion-of-ai-surveillance-pub-79847

Q13　日本が「完全な民主主義」でなくなったのはいつでしょう
　　　か?

①　2014 年

②　2008 年

③　現在も「完全な民主主義」である

解答　①

　　前述の民主主義指数によると、日本は 2014 年に「瑕疵のあ
る民主主義」となっている。なお、これに先立つ 2012 年末に

　自民党が政権を奪還している。民主主義指数は原則隔年で公開されており、自民党政権になってから最初の指数で「完全な民主主義」から脱落したことになる。

結果はいかがでしたか？　あなたの解答は合っていたでしょうか？

　これらのクイズはいずれもサイバーや IT に関わりがあるものの、通常の用語辞典や IT ニュースには出てこないことばかりである。では、一般のニュースで取り上げられることはあるかというと、それもない。つまり日本ではほとんど取り上げず、多くの人は知らないままになっている。

　しかし我々の生活や未来には大きな関わりがある。我々は程度の差こそあれ、人には守るべき権利＝人権があると信じ、民主主義の社会に暮らしていると考えている。クイズでみたように、それらは幻想になりつつある。世界のほとんどの国は「完全な民主主義」ではなくなっている。日本も 2014 年から「瑕疵のある民主主義」国である。世界各国に社会インフラとしてのネット世論操作システムが販売され、運用されている。これらは大きなビジネスチャンスだから日本も遅れを取るわけにはいかないと多くの企業は考えるだろう。そこに参入することは、取りも直さず「新しい世界」に足を踏み入れることになる。

　数（人口）の面ではアジア、ラテンアメリカ、アフリカにある「完全な民主主義」ではない国が中心の世界ができつつある。そして経済の面でもやがて中心になるのは明らかだ。その地域には中国やロシアが影響力を持っている。我々が世界の中心と思っていたアメリカやヨーロッパはもはや中心ではなくなりつつある。

　本書では日本であまり語られることのない「新しい世界」を知るためのサイバー用語をとりまとめた。必要に応じて辞書のように使っていただいてもいいし、解説書として最初から読んでもいい。違う角度で社会を見た時、目の前に広がっている「新しい世界」が見える。

すでに我々は
「新しい世界」にいる

本書の立場

　本書では主にサイバー関連の用語を中心にとりあげている。扱っている話題は人物、事件、概念など多岐にわたる。いずれも技術解説書ではあまり見かけることはないが、新しい時代を知るために必要な言葉である。たとえば「黒人人権運動（Black Lives Matter）」は一見するとサイバー用語でもないし、サイバー事件でもない。しかし、アメリカで起きた「黒人人権運動」は全土に飛び火し、各地の警察がSNS監視ツールを導入するきっかけとなった点で重要だ。「RT」や「スプートニク」はいずれもロシアのメディアであり、やはりサイバーと関係ないように思える。しかし、このふたつはロシアが世界に対して行っているネット世論操作の重要な武器となっている。スプートニクには日本語版もあり、ふつうのニュースサイトと勘違いして引用して拡散している日本人も少なくない。

　サイバー用語であっても、あまり耳にすることのない言葉も多い。「ネット世論操作産業」は世界中に広がっており、その最前線を走っているのは社会インフラとしての監視システムを提供しているファーウェイやZTEである。これらの企業が社会インフラを提供した国のマーケットに参入しようとする企業は、嫌でも彼らのシステムとの互換性あるいは相互運用性を考慮しなければならない。それは民主主義を信奉する「完全な民主主義」の国から見た場合、民主主義を否定しかねない行為であり、人権侵害を支援する行為に映る。しかし経済便益のためにはやらざるを得ないと考える経営者や政治家もいるだろう。もはやサイバー技術を単体として語れる時代

ではないのである。

　本書を読む前に、技術で語れるのはサイバーのごく一部に過ぎないことを知っておいていただきたい。プロローグのクイズでご紹介したように、サイバーとはあまり関係がないように思われる分野もサイバーから大きな影響を受け、変容している。本書では、そうした社会の変容につながる言葉と、その背景となった事件を選んで解説する。

　本書で紹介する用語を代表する３つのキーワードは下記である。

第１のキーワード「民主主義の変容」

　インターネットは、さまざまな形で民主主義を変容している。新しい民主主義の姿はいまだはっきりしていないが、すでに変化は始まっており、それを整理することで新しい民主主義の姿を描くことができる。民主主義の状態を示す指標のひとつである民主主義指数によると、2006 年の開始以来、全体の民主主義指数は減少している。細かく見ると、市民の自由が目立って減る一方で政治参加（女性の参政権や抗議活動などの増加）が目立って増加している。つまり対立と分断が激化していると考えられる。この指標では国の状態を「完全な民主主義」「瑕疵のある民主主義」「ハイブリッド（民主主義的な面も持つ権威主義）」「権威主義（独裁、全体主義など）」の４つに分けている。

　また、これまで「完全な民主主義」であった国が「瑕疵のある民主主義」になる一方で、権威主義（全体主義、独裁主義など）国の民主化が進んでいる。全体的として「完全な民主主義」と「権威主義」の中間にある「瑕疵のある民主主義」や「ハイブリッド」が増

えている。本書では、人物、事件、概念、製品・サービスなどの用語を通じて現在進行形の変化をお伝えする。

第2のキーワード「ネット世論操作産業」

　ネット世論操作とは、ネットワークを通じて世論を操作することを指す言葉で、世論操作のためのフェイクニュースを含む。監視や検閲による発言の抑制と、特定の主張を増加、拡散させる活動の2つの側面を持つ。これを総合的なシステムとして実現する際には対象となる国民ひとりひとりをなんらかの識別子（たいていはスマートID）で特定した上で全ての行動を監視し、検閲し、特定の主張を支持するように仕向ける。

　この仕組みの構築と運用を行うのが、成長を続けているネット世論操作産業である。パッケージ化されたネット世論操作システムを提供している大手は複数の中国企業であり、その輸出先は「変容した民主主義」の国もしくは権威主義の国だ。この仕組みによって政権の基盤を盤石にしようとしている。

第3のキーワード「見えない緩慢な変化」

　20世紀後半に誕生したインターネットは急速に発展し、急速に我々の生活、産業、文化を変えてきた。ある日、突如としてなにかが劇的に変化するというよりは、じょじょに世界の全てが変化してきた。その変化は現在も続いており、今後も続く。変化は多岐にわたり、個々人が知ることのできる範囲はそのごくわずかにすぎない。

　だが、知ることのできない変化の中にはそれが広がることによって、いやおうなく多くの人々の目に見えるようになってくるものも

ある。本書では多くの人にとって「今は」知る機会がないが、やがて大きなうねりとなって生活を変えるものも取り上げている。フェイスブックが誕生した時、いや普及した時ですら、アジア、ラテンアメリカ、アフリカの社会に強大な影響力を持つサービスになると予想した人はわずかだろうし、そもそも日本ではいまだにメジャーではないため、そのことを知らない人がほとんどである。

　日本をのぞく多くの国の政治や安全保障あるいはサイバーに関心を持つ人々にとって、こうした状況は慣れ親しんだものである。私にも原因はわからないが、日本ではほとんどといってよいほど取り上げられることはなく、研究している人も組織も寡聞にして聞いたことがない。たとえば多くの国にはファクトチェック組織が複数あるが、日本ではたったひとつであり、その設立はかなり遅い上、活動内容も諸外国に比べると限定的でメディアを横断する協力態勢が確立できているとは言いがたい。
　本書で紹介できることは限られているが、読者のみなさんが「新しい世界」を理解する一助となれば幸いである。

●参考文献について

各項目には、関連する別の項目を「関連用語」、元となる文献や記事を末尾の「参考」に記載している。

ただし、『犯罪「事前」捜査』（一田和樹・江添加代子）および『フェイクニュース　新しい戦略的戦争兵器』（一田和樹）のふたつについては多くの項目で参照しているため、個々の項目の参考には記していない。

●執筆について

クイズ、第1章、あとがきは一田が担当、項目解説は一田と江添で分担した。各項目の末尾に執筆した者の名前を付している。

サイバー社会用語

人名

アサンジ、ジュリアン
「ウィキリークス」創始者

　ジュリアン・アサンジは機密情報を公開するサイト「ウィキリークス」の創始者。機密情報は内部告発者から提供されることもあるため、投稿者の匿名性に留意している。アフガン紛争、イラク戦争などの機密文書を公開したことで注目を浴びたが、外交や安全保障上の脅威になる可能性も指摘された。

　2010年8月31日、性的暴行容疑でスウェーデンで捜査が始まり、同年12月7日イギリスで警察に出頭し、拘留された。2012年6月19日、イギリスのエクアドル大使館に政治亡命を求めて入り、8月19日には亡命が認められた。2019年4月5日、エクアドル大使館においてイギリスの警察に逮捕され、現在も拘留中でアメリカへの移送についての裁判が行われている。

　アサンジを受け入れた時のエクアドルは独裁とも言える状態で強烈な反米路線だった。国内には監視システムが配備され、ジャーナリストや反政府活動家、政治家がターゲットとなっており、言論の自由を尊ぶ状況とは真逆の社会だった。そのためエクアドルがアサンジを匿ったのは言論の自由を守るためではなく、親露反米路線の一環と考えた方が自然である。その後、エクアドルの政権交代とと

もに大使館を追い出されることになり、逮捕された。

　エクアドル大使館に匿われていた頃のアサンジは、ロシアのプロパガンダ・メディアである RT の「ジュリアン・アサンジ・ショー（World of Tomorrow）」という 12 回シリーズの番組のホストを務めた。ゲストは親露の著名人 12 人で、エクアドルのコレア大統領もいた。大使館から出ることはできないので、アサンジがゲストとビデオチャットする様子をカメラに収める方法で行われた。（一田）

[参考]

　アサンジ逮捕を巡る米露の綱引き。「ハイブリッド戦争」時代のリテラシー（2019 年 4 月 12 日、ハーバービジネスオンライン）
　　https://hbol.jp/190092
　映画『フィフス・エステート　世界から狙われた男』2013 年
　ジュリアン・アサンジ・ショー
　　https://youtu.be/rW7edOQ3pCo
　Julian Assange Fast Facts　Julian Assange: key dates in the WikiLeaks founder's casel（2019 年 4 月 11 日、ガーディアン）
　　https://www.theguardian.com/media/2019/apr/11/julian-assange-key-dates-in-wikileaks-founders-case）
　ガーディアンのジュアン・アサンジに関する記事
　　https://www.theguardian.com/media/julian-assange

アレクサンダー、キース (Keith Brian Alexander)
PRISMの産みの親

　2005 年 8 月から 2014 年 3 月までアメリカ国家安全保障局（NSA）長官を務めた元米国陸軍大将（四つ星階級章将官）と

して知られる。ほぼ同時期にアメリカ中央セキュリティサービス（CHCSS）のチーフ、および国防総省のサイバーコマンド（USCYBERCOM）の初代司令官も務めた。つまり 2013 年のエドワード・スノーデンの内部告発で「NSA の大量監視の実態」が世界中に衝撃を与えたとき、その監修者として集中砲火の矢面に立たされた人物。ただし辞任を発表した際の彼は「自分の辞任とスノーデンとは無関係」だと主張している。

　アレクサンダー元長官はスノーデンの内部告発を「諜報史上、最も悪質な違反のひとつ」と表現し、この告発でテロリストに対する通信傍受の機能が損なわれたと説明した。しかし多くのメディアはプログラムの違法性に対する追及の手を止めなかったため、彼の名前は（在任中はもちろん退任後にも）何度となく扱われるようになった。

　たとえば NSA の無差別監視プログラムが非難された当初、彼は「このプログラムの働きにより、国内外で 50 以上の攻撃を阻止することができた」と発表したのだが、NGO のシンクタンク New America Foundation の詳細なレポートによれば、市民に対する NSA のオンライン監視で阻止された攻撃は一件のみだったようだ。一部の NSA 職員が職権を濫用し、自分の恋愛対象者を盗聴していたことが取り沙汰された際は、それを事実と認めた一方、「平均で年一度ほどしか起こらない」と主張して物議を醸したのもアレクサンダー元長官だった。

　また元長官は複数の役職を兼務していたため、原則として切り離されるべき存在の NSA と国防総省が密接な関係にあったのではないかといった批判もあった。さらには「アレクサンダー元長官の指

令センターは、『スター・トレック』のエンタープライズ号のブリッジを模しており、それはハリウッドの舞台デザイナーに特注したレプリカで、例の『シュッ』と開閉するドアまで完璧に再現されていた」などの証言を行う元関係者まで現れる始末だった。

　彼は元よりプログラミングの達人で、政治より技術にのめり込む傾向が強かったとも言われている。スノーデン事件の1年前にあたる2012年夏には、世界最大のハッカーイベント「DefCon」にも晴れやかに登場していた。このときバッジだらけの軍服ではなく、ジーンズにTシャツをインするという「TPOをわきまえた姿」でステージに上がった彼は、参加者たちに国家安全のための協力を求める基調講演を行った。しかしスノーデンの告発後、同イベント創立者のジェフ・モスはアメリカ政府にDefConと距離を置くよう要請し、政府関係者を会場から締め出した。（江添）

[関連用語]
　　PRISM　エドワード・スノーデン
[参考]

　　Pentagon plans massive surge in Cyber Command staff（2013
　　年1月29日、The Register）
　　http://www.theregister.co.uk/2013/01/29/pentagon_
　　expands_online_war/
　　Republican filibuster blocks Senate Cybersecurity bill（2012
　　年8月2日、The Register）
　　http://www.theregister.co.uk/2012/08/02/senate_blocks_
　　cybersecurity_bill/
　　Those NSA 'reforms' in full: El Reg translates US Prez
　　Obama's pledges（2014年1月18日、The Register）

http://www.theregister.co.uk/2014/01/18/that_obama_nsa_reform_speech_with_el_reg_annotations/

Edward Snowden（2014 年 6 月 13 日、Wired）
https://www.wired.com/2014/08/edward-snowden/

Interview transcript: former head of the NSA and commander of the US cyber command, General Keith Alexander（2014 年 5 月 9 日、The Australian Financial Review）
https://www.afr.com/technology/interview-transcript-former-head-of-the-nsa-and-commander-of-the-us-cyber-command-general-keith-alexander-20140508-itzhw

Hackers back away from relationship with the feds; 'Need some time apart'（2013 年 7 月 11 日、The Washington Times）
http://www.washingtontimes.com/news/2013/jul/11/hackers-ask-feds-to-take-time-out-from-defcon/?page=all

NSA trolls for talent at Def Con, the nation's largest hacker conference（2012 年 8 月 1 日、THE VERGE）
http://www.theverge.com/2012/8/1/3199153/nsa-recruitment-controversy-defcon-hacker-conference

ウラジミール氏（Vlad氏、Vladimir氏）
変死を遂げた語学堪能でインテリジェンスに通じたライター

　パソコン通信の時代から活躍していたハッカーにしてライターであり、英語、中国語、ロシア語など語学にも堪能であった。数々のIT系雑誌などに寄稿していた他、『スーパーハッカー入門──超黒客入門』、『チャイナ・ハッカーズ』などの著作がある。

　ライターとしての活動の他に、いわゆるインテリジェンス（諜報）

に関わる仕事にも携わっていたとされており、公安、防衛省、自衛隊、海外機関を手伝っていたとも言われている。

　2016 年 8 月に急死を遂げる。病死として処理されたが、一部では謀殺されたという噂もある。同氏はネットから莫大な量のデータを収集しており、それを保管してあったハードディスクを死後複数の機関が捜していたという。（一田）

[参考]

　　知られざる中国ハッカーの「素顔」『チャイナ・ハッカーズ』（2014 年 7
　　　月 28 日、THE ZERO/ONE）
　　　https://the01.jp/p00074/
　　天才ハッカー死去、公安当局が極秘裏に証拠隠滅の怪（2015 年 9 月
　　　30 日、Business Journal）
　　　https://biz-journal.jp/2015/09/post_11753.html
　　怪死したウラジミール氏と北朝鮮（2019 年 9 月 17 日、やまもと　いち
　　　ろう　オフィシャルブログ）
　　　https://lineblog.me/yamamotoichiro/archives/13235304.
　　　html

クレブス、ブライアン
世界のトップを走るサイバーセキュリティに特化したジャーナリスト

　これまでに数多くの独占スクープを報じてきた「Krebs on Security」でお馴染みのジャーナリスト。もともとは『ワシントン・ポスト』紙の記者だったが、独立後はサイバーセキュリティ専門の

個人ブロガーとして活躍している。とりわけ 2013 年のクリスマス商戦期、アメリカの超大手小売店チェーン「Target」の POS システムから大量の顧客のカード情報が盗まれた事件では、彼が発表した独自の調査結果が北米中で知れ渡ることになり、この一連の事件がハリウッドで映画化されるという話すら持ち上がった（ただし続報は聞こえてこない）。

　その他にも、世界中を震撼させた不倫サイト「アシュレイ・マディソン」の顧客情報漏洩事件など、セキュリティと縁のない人々にも伝えられる大事件を何度も独占スクープした人物であるため、「企業や団体の情報漏洩を目ざとく見つけ、スキャンダラスに伝える人物だ」と誤解される向きもある。しかし彼が追究するセキュリティの話題は驚くほど多岐にわたっており、その調査の標的は個人データのブローカー、ATM のスキミング、POS マルウェア、さらに国家レベルのサイバー攻撃活動にまで及んでいる。

　たとえば彼の著書『Spam Nation』は、巨大な闇市場を拡大させてきたロシアのサイバー犯罪者の活動や、彼らと GameOver Zeus との関係などを壮大なスケールで暴いたものだ。このような「サイバー犯罪者や、組織化されたサイバー犯罪集団をオンラインで執拗に追いつめる」という調査も彼の得意分野である。

　クレブスのブログ「Krebs on Security」は 2016 年、史上最大級の DDoS 攻撃に襲われたことでも有名となった。ピーク時 620Gbps の攻撃は当時あまりに大きすぎたため、彼のブログは一時的なサービスの停止を余技なくされた。この攻撃は、クレブスが直前に行っていた「vDOS」の調査に対する報復行為だったと考えられている。このときクレブスは、IoT のボットネットを利用した DDoS 攻撃の

恐ろしさについて説明し、また「あまりセキュリティの知識のない
ティーンエイジャーでも、安直な正義感で簡単に裁きを下せる危険
な状況」に警鐘を鳴らした。

　さまざまな報道でセキュリティ界に貢献してきたクレブスは、こ
れまで数々の賞やタイトルを獲得しているが、一方で 2019 年の春
にはセキュリティ関係者にドキシングを行ったとして痛烈な批判も
受けた。このドキシング問題は、Spamhaus の不正を指摘しようと
していたヴィンセント・キャンフィルド、そして業界の人気者ジェ
イク・ウィリアムズを巻き込んだ事件だったため、クレブスにとっ
ては旗色の悪いものとなった。

　ちなみに、悪名高きスタクスネット（Stuxnet）の存在を初めて公
にしたのもクレブスだったと考えられている。ただし当時の彼は、
それが後に「Stuxnet」と呼ばれるものになることを知らなかった
ため、彼の記事は「とても洗練された、ちょっと変わった新手のマ
ルウェア」を報告したものだった。（江添）

[関連用語]
　　ボットネット　IoS　ロシア・ビジネスネットワーク（RBN）
　　オリンピックゲーム作戦
[参考]
　　ブライアン・クレブスを襲った史上最大級の DDoS 攻撃（1）（2016 年
　　　10 月 17 日、THE ZERO/ONE）
　　　https://the01.jp/p0003301/
　　Dear Brian Krebs, no more doxxing as a result of a
　　　disagreement, please.（2019 年 4 月 26 日、HACKED.WTF）
　　　https://hacked.wtf/2019/04/26/dear-brian-krebs-no-

more-doxxing-as-a-result-of-a-disagreement-please/
Experts Warn of New Windows Shortcut Flaw（2010 年 7 月 15
日、Krebs on Security）
https://krebsonsecurity.com/2010/07/experts-warn-of-
new-windows-shortcut-flaw/#

シュワルツ、アーロン（スワーツ、シュワーツ）
非業の死を遂げたインターネットの基礎に尽力した天才

　数多くのフォーマットの開発や設計に関わり、さまざまなアーキ
テクチャの基礎を作りあげ、天才プログラマと謳われたアメリカの
青年。わずか26歳にして自らの生涯を閉じた。プログラマとして
はもちろん、名だたる企業や団体の創設関係者として、熱心なアク
ティビスト／ハクティビストとして、また膨大な量の執筆を行った
ライターとしても広く知られている。

　アーロンが共同オンラインライブラリ「Theinfo.org」を作成し、
ArsDigita 賞を受賞したのは 13 歳のときだった。14 歳で RSS 1.0
編集チームのメンバーに加わり、また同年にクリエイティヴ・コモ
ンズの初期メンバーとしても活躍した。その後、飛び級で高校を卒
業した彼は、入学したスタンフォード大学を中退し、創設されたば
かりの Reddit に参加して共同経営者となった（のちに退社）。
「インターネットにおける束縛のない自由な知的財産の共有」を
目指していたアーロンは、オンライン海賊行為防止法案（SOPA 法
案）が検閲行為を許可するものになりかねないと指摘し、その法案

の可決を阻止するための活動を精力的に行ったことでも知られている。生前の彼の活動内容、および彼がインターネットに及ぼした影響はあまりにも多岐にわたっているため、簡単に紹介することは到底できない。ここで特に押さえておきたいポイントは、アーロンが

●インターネットそのもののありかたを改善するために情熱を注ぎ込んでいた

●その理想を実現へ向かわせることができる桁外れの頭脳と行動力を持っていた

●自殺したときの彼は、当局に追い込まれた状況にあった

●彼の早すぎた死を、多くの著名人やネット市民が嘆き悲しんだ

という点だろう。

　アーロンは2011年、アメリカ政府の申し立てによりデータ窃盗や違法アクセスなどの疑いで起訴されていた。検察の主張によれば、アーロンはマサチューセッツ工科大学（MIT）のラップトップでJSTOR（学術誌のアーカイブ）にアクセスし、約480万点の文書をダウンロードしたとされている。

　このアーロンの行動は、オンラインにおける知的財産の自由な共有を求めた活動の一環で、金銭目的などの犯罪でないことは誰の目にも明らかだった。彼は「誰にでも無償で読ませるべき内容の学術論文が、JSTORによってアクセス制限され、一部の人々にしか提供されていない状態は間違いである」と主張していた。

　彼が文書をダウンロードした行為は無断侵入に該当するのではないかと考えたMITが警察に通報したことで、アーロンは逮捕された。とはいえJSTORはアーロンの処罰に乗り気でなく、のちに訴

えを取り下げたのだが、米政府はアーロンの告訴を進め、また「これまでの活動」にも余罪を追及し、計30年以上（35年以上、50年以上だったとの説もある）の懲役刑と100万ドルの罰金刑を求めて裁判を起こそうとしていた。アーロンの弁護士のひとりによれば、検察は司法取引に応じようとせず、彼に「禁錮刑」を求める強硬的な態度を崩さなかったという。

　この経験が彼の死にどれほどの影響を与えたのかは断言できない。ともあれ「学術書のダウンロード」をきっかけとして、異例とも言えるほどの重刑を求める裁判を2013年4月に控えたアーロンは鬱状態に陥っていた、と伝えられている。そして同年の1月11日、彼は自宅で首を吊った。彼の家族は、アメリカの脅迫に満ちた刑事司法制度と検察側の行き過ぎた行動が息子を死に追いやった、と主張している。

　多くのインターネット界の著名人たちは、アーロンの死に対する嘆きのコメントを発表した。また彼が起こした行動がどれほど犯罪とは無縁であったのかを主張するフォレンジック技術者、彼が違反したとされるコンピュータ犯罪取締法（Computer Fraud and Abuse Act）そのものに問題があると指摘する法律専門家、彼の捜査は度を超した虐待的な行為だったとみなすジャーナリストたちも次々と声を上げていった。

　一方、「アーロンの命を奪ったのは、アメリカのコンピュータ犯罪法と裁判制度だ」と考えたAnonymousのハッカーたちは、アーロンの死後3日目にあたる1月14日、MITのウェブサイトの一部を乗っ取った。彼らはアーロンの起訴が不当なものであったと主張し、また彼の行動の正当性を訴え、コンピュータ犯罪と知的財産

に関する法律を改革せよと主張する文面を掲載した（ちなみに彼らは、このハッキング行為にはMITを非難する意図はないと記しており、同校のウェブサイトを乗っ取ったことへの謝罪も掲載した）。アーロンの死後、検察は彼の起訴を取り下げ、JSTORは「アーロンが盗んだ」とされる記事の無料公開を発表した。

　もしもアーロンがいなければ、いま私たちが利用しているいくつかのサービスは最初から存在していなかったかもしれない。またアメリカ議会があっさりとSOPAを可決していた恐れもある。現在でもアーロンが活動することができていたなら、その後の彼の活躍により、インターネットそのものも、私たちが見ている空間とは少し違ったものになっていたのではないだろうか。（江添）

[参考]

A Chat with Aaron Swartz（2007年5月7日、Google Blogoscoped）

http://blogoscoped.com/archive/2007-05-07-n78.html

Commons man（2013年1月13日、The Economist）

https://www.economist.com/babbage/2013/01/13/commons-man?fsrc=scn/tw_ec/commons_man

In the Wake of Aaron Swartz's Death, Let's Fix Draconian Computer Crime Law（2013年1月14日、EFF）

https://www.eff.org/deeplinks/2013/01/aaron-swartz-fix-draconian-computer-crime-law

スノーデン、エドワード
NSAの大規模諜報システムPRISMを暴露

　エドワード・スノーデンはアメリカ国家安全保障局（NSA）の PRISM を始めとする活動を告発したことで知られる。2013 年 6 月 6 日、香港で内部告発情報を行った。スノーデンは NSA、アメリカ中央情報局（CIA）、DELL、ブーズ・アレン・アンド・ハミルトンに勤務したことがある。日本の横田基地にもいたことがある。

　NSA のハワイの拠点に勤めていた際、システムから莫大な量のデータをコピーして持ちだし、香港でガーディアン、ワシントン・ポスト、サウスイースト・チャイナポストの取材を受け、それが世界に配信された。

　大規模かつ衝撃的な内容の情報であったため、ニュースは瞬く間に世界中に広まった。これによってスノーデンはアメリカから追われる身となった。香港からロシアのモスクワに移動し、複数の国に亡命を求めたが、受け入れられなかった。ロシアが期間制限付きで滞在を許可したため、同国内に滞在している。

　その後、ツイッターアカウントを開設してつぶやいたり、ビデオ会議を使って世界各地で講演を行うなどの活動を続けている。日本のメディアの取材を受け、NSA が行ったターゲット・トーキョーと呼ばれる作戦の存在や、特定秘密保護法はアメリカがデザインしたものと語った。

　彼を主人公にした映画が 2 本作られ、ノルウェーの政治家がノーベル平和賞に推すなど英雄視されている一方、国家の安全保障に対

する脅威と考える人々も多く、彼がロシアに滞在していることを問題視する人もいる。(一田)

[関連用語]

　　PRISM　XKEYSCORE

[参考]

　　Snowden (2019年9月13日、ガーディアン)

　　　https://www.theguardian.com/us-news/ng-interactive/2019/sep/13/edward-snowden-interview-whistleblowing-russia-ai-permanent-record

　　スノーデンの警告「僕は日本のみなさんを本気で心配しています」(2016年8月22日、現代ビジネス)

　　　https://gendai.ismedia.jp/articles/-/49507

　　映画『シチズンフォー　スノーデンの暴露』2014年

　　映画『スノーデン』2016年

土屋大洋

日本では数少ないサイバー空間と安全保障についての専門家

　慶應義塾大学大学院政策・メディア研究科教授。

　日本では数少ないサイバー空間と安全保障についての専門家であり、多数の著作がある。海底ケーブルの保護の重要性を訴えており、実際に自身で視察もしている。(一田)

[参考]

慶應義塾大学湘南藤沢キャンパス（SFC）教員プロフィール
　http://vu.sfc.keio.ac.jp/faculty_profile/cgi/f_profile.
　cgi?id=e071541da5bfbd07
土屋大洋のホームページ
　https://web.sfc.keio.ac.jp/~taiyo/index-j.html
researchmap　土屋大洋
　https://researchmap.jp/read0121780/

ニモ、ベン

デジタル・フォレンジック・リサーチラボの顔だった ネット世論操作暴露のエキスパート

　数多くのネット世論操作を暴いてきた世界的に有名なネット世論操作の専門家である。現在は大西洋評議会のシニアフェロー兼SNS分析会社グラフィカの研究員である。大西洋評議会のデジタル・フォレンジック・リサーチラボの顔とも言える存在だった（現在は活動の中心をグラフィカに移している）。

　職歴はバラエティに富んでおり、ライター、スキューバダイビングのインストラクター、トラベルライター、NATOの報道官などを務めたことがある。

　扱える言語は、オランダ語、英語、フランス語、ドイツ語、イタリア語、ラトビア語、ノルウェー語、ポーランド語、ロシア語、スペイン語、スウェーデン語と多い。（一田）

[関連用語]
　　ベリングキャット　ネット世論操作産業
　　デジタル・フォレンジック・リサーチラボ
[参考]
　　Ben Nimmo　大西洋評議会にある紹介スタッフページ
　　　https://www.atlanticcouncil.org/expert/ben-nimmo/
　　Graphika welcomes industry expert Ben Nimmo to the team
　　（2019 年 8 月 23 日、グラフィカ社ブログ）
　　　https://graphika.com/posts/graphika-welcomes-industry-
　　　expert-ben-nimmo-to-the-team/

ミトニック、ケビン
伝説的ハッカー

　モトローラ、NEC、ノキア、サン・マイクロシステムズ、富士通
シーメンスなど、名立たる通信系企業のシステムに次々と侵入した
ことで知られる伝説のハッカー。FBI やペンタゴン、国家安全保障
局（NSA）などにも不正にアクセスした可能性があると考えられて
いる。

　ミトニックは FBI の最重要指名手配 10 人（Most Wanted 10）
に名前と顔写真が掲載された全米初のハッカーだった。そのニュー
スが 1994 年に『ニューヨーク・タイムズ』の一面で報じられたと
きこそ、「アメリカ市民が初めてコンピュータ犯罪やハッキングを現
実の問題として意識した瞬間」だったとも言われている。

　当時ミトニックの指名手配を伝えたメディアは「天才的なコンピュータ詐欺師」等の表現を用いた。しかし現在では「ソーシャルエンジニアリングの能力が桁外れのハッカーだった」という評価が一般的となっている。たとえば彼は、関係者を装って電話で情報を聞き出す、従業員になりすまして堂々と新規アカウントを取得する、清掃員のふりをしてゴミを漁るなど、現場で働いている人間の「心の脆弱性」をつく攻撃にも非常に長けていた。

　ミトニック自身の証言によれば、彼は保釈聴聞会を拒否されたアメリカ史上唯一の留置者だったという。裁判所は「公衆電話を使わせるだけで、彼は核戦争を開始できる」と語った。実際に服役中のミトニックは独房へ収監され、また刑期を終えたあとも暫くは携帯電話やインターネットの利用を禁じられていた。しかし次第に「ハッカーの視点から」アメリカの法執行機関や企業に協力する立場となった彼は現在、セキュリティのコンサルティング業務や書籍の執筆などで活躍している。

　ミトニックは 1995 年、下村努の協力を得た FBI によって逮捕された。このときのふたりの対決は、「ザ・ハッカー（Takedown）」というタイトルで映画化されている（ただしミトニックは、この映画の内容に納得していない）。（江添）

[参考]

ミトニックのサイト
　https://mitnicksecurity.com/
World's most renowned hacker on how pranks led to prison
　（2018 年 1 月 13 日、THE IRIS TIMES）

https://www.irishtimes.com/business/technology/
world-s-most-renowned-hacker-on-how-pranks-led-to-
prison-1.3353358

Kevin Mitnick Tells All in Upcoming Book ? Promises No
Whining（2008 年 8 月 28 日、WIRED）

https://www.wired.com/2008/08/kevin-mitnick-t/

山口英
日本のインターネットの父

　日本のインターネットに黎明期から関わり、その発展に尽くした人物。奈良先端科学技術大学院大学教授。

　1988 年に複数の日本の大学の連携によるインターネットに関する研究と運用の WIDE プロジェクトのメンバーであり、Asian Internet Interconnection Initiatives（AI³、アジア太平洋諸国を結ぶ衛星ネットワーク）の構築や JPCERT（コンピュータ緊急対応センター）、APCERT（アジア太平洋のコンピュータ緊急対応センターの連携組織）、内閣官房情報セキュリティセンター（NISC）などに関わった。

　山口英が 2011 年から 2013 年まで理事をつとめた First はその功績を認め、フェローシッププログラム（途上国促進プログラム）に同氏の名をつけた。

　2016 年 5 月 9 日に 52 歳で永眠した。（一田）

[関連用語]

　　JPCERT コーディネーションセンター　NISC

[参考]

　　【訃報】情報科学研究科山口英教授が御逝去されました（2016 年 5 月
　　　12 日）
　　　　http://www.naist.jp/pressrelease/2016/05/001284.html
　　山口 英先生 お別れ会のご案内（2016 年 5 月、WIDE プロジェクト）
　　　　　http://www.wide.ad.jp/About/suguru-0615/index.html
　　山口英氏が「インターネットの殿堂」入り、サイバーセキュリティ研究の
　　　先駆者（2019 年 9 月 30 日、InternetWatch）
　　　　https://internet.watch.impress.co.jp/docs/news/1209994.
　　　　html
　　「スグル ヤマグチ フェローシップ プログラム」～セキュリティの国際非
　　　営利活動に日本人研究者の名が冠される（First）
　　　　https://scan.netsecurity.ne.jp/article/2016/08/16/38838.
　　　　html

リグメイデン、ダニエル
スティングレイの存在を獄中から告発した天才ハッカー

　納税詐欺で逮捕されたアメリカの元囚人。すでに死亡したアメリカ市民の ID 情報を利用し、不正なタックスリターンをオンラインで申請しては払戻金を集めるという手法で、1900 件以上の詐欺を働いた。その一方、「たったひとりで監獄の中からスティングレイの存在を暴き、世界に知らしめた天才」としても知られている。

　リグメイデンは自分で大量に作り出した偽造の ID しか使わない

暮らしを徹底させており、さらに「乗っ取った他者のPC」を経由して虚偽の申請を行っていた。そのためアメリカの複数の法執行機関がタッグを組んだ捜査チームでも、本人の特定に繋がる手がかりを摑めなかった。

2008年、正体不明のまま所在地を割られて逮捕されたリグメイデンは、「自分のエアカード（モバイルホットスポット）を追跡できる未知の装置」の存在を確信した。収監されてからの彼は、主に図書館で得られた2万ページ分の資料を数年間かけて熟読し、スティングレイの存在と仕組みに関する研究をまとめあげる。アメリカ自由人権協会（ACLU）の協力を得た彼は2012年、その装置が自分の捜査に用いられたことを暴き、自らの逮捕の合法性を問う裁判を起こした。この裁判によってFBIは初めて、スティングレイの利用を認めた。しかし20年以上の刑期が残されていたはずのリグメイデンが2014年に釈放されてしまったため、この裁判でスティングレイの詳細が語られることはなかった。

晴れて自由の身となった彼は、スティングレイに関する比類なき専門家となった。米ワシントン州は2015年、「法執行機関がスティングレイを利用する際には令状を取得しなければならない」という新たな法案を通過させたが、この法案の一部はACLUから協力を要請されたリグメイデンによって書かれている。（江添）

[関連用語]
　　スティングレイ　アメリカ自由人権協会（ACLU）
[参考]
　　This Hacker Uncovered A Massive Police Surveillance

Dragnet While Serving Time In Prison（2016 年 5 月 2 日、International business Times）

http://www.ibtimes.com/hacker-uncovered-massive-police-surveillance-dragnet-while-serving-time-prison-2294505

When Your Conspiracy Theory Is True（2016 年 6 月 18 日、WNYC Studios）

http://www.wnyc.org/story/stingray-conspiracy-theory-daniel-rigmaiden-radiolab/

'HACKER' INDICTED IN MASSIVE TAX, MAIL, AND WIRE FRAUD SCHEME（2010 年 4 月 18 日、司法省）

https://www.justice.gov/sites/default/files/criminal-ccips/legacy/2012/03/15/rigmaidenIndict.pdf

組織

アメリカ自由人権協会 (ACLU)
アメリカ最大級の非営利人権団体

　影響力、規模ともにアメリカ最大級の非営利人権団体。「アメリカ市民の人権と自由の保護」を目的に 1920 年から法的活動を行っており、これまでアメリカの歴史や法律に多大な影響を与えてきた。それらの中には、世界情勢や世論の暴走に歯止めをかけた活動も多い。たとえば 2001 年の 9・11 テロの直後には「国家安全保障を大義名分として、アメリカ市民が基本的に保障されている自由を犠牲にするべきではない」と主張し、数々の政策に反対した。

　ACLU はサイバー空間上の人権問題にも積極的に関わっており、「オンラインでの人権」に関連したニュースでは、電子フロンティア財団 (EFF) やアムネスティなどと並ぶ常連のメンバーとなっている。2006 年、国家安全保障局 (NSA) の国民に対する諜報行為の違法性を連邦裁判所に初めて訴えたのも ACLU だった (ただし当時の諜報行為は、スノーデンが暴露したような一網打尽型の無差別な諜報プログラムではなく、主にメールと電話を介したものだった)。

　この裁判では「NSA の諜報計画は修正第 1 条、修正第 4 条、および外国諜報活動偵察法に違反している」との判決が下り、ACLU は当時のブッシュ政権を相手に勝訴したのだが、その判決は 2007 年

の合衆国控訴裁判所で覆された。この争いが最高裁判所まで持ち込まれた 2008 年、ACLU は「民事訴訟の当事者として訴訟を追行するために充分と見なされる被害を受けていない」として訴えを却下された。つまり NSA の諜報の合法性を問う以前の問題として、最高裁判所は「ACLU の原告適格」を認めなかった。

　近年の ACLU は、移民規制の大統領令による本国送還に対抗して緊急申し立てを行うなど、トランプ政権に対する活動で名前を聞く機会が多い。彼らは同政権に抗議する市民の拠り所のような存在にもなっていると言えるだろう。実際、トランプ政権が誕生した直後には「前例のない規模で」オンラインの寄付を受け取ったと同団体自身が公表している。（江添）

[関連用語]
　　黒人人権運動　ジオフィーディア　ゼロフォックス
[参考]
　　アメリカ自由人権協会（ACLU）
　　　https://www.aclu.org/
　　ACLU V. NSA - CHALLENGE TO WARRANTLESS WIRETAPPING
　　　（2014 年 9 月 10 日、ACLU）
　　　https://www.aclu.org/cases/aclu-v-nsa-challenge-
　　　warrantless-wiretapping
　　DARWEESH V. TRUMP - DECISION AND ORDER（2017 年 1
　　　月 28 日、ACLU）
　　　https://www.aclu.org/legal-document/darweesh-v-trump-
　　　decision-and-order
　　The ACLU says it got $24 million in online donations this
　　　weekend, six times its yearly average（2017 年 1 月 30 日、The

Washington Post）

https://www.washingtonpost.com/news/morning-mix/
wp/2017/01/30/the-aclu-says-it-got-24-million-in-
donations-this-weekend-six-times-its-yearly-average/

アルキメデスグループ
世界各地で活躍するイスラエルの世界的ネット世論操作産業

　アルキメデスグループはイスラエルの民間諜報機関であり、代表的なネット世論操作企業である。

　2019年5月16日、フェイスブックはブログでフェイスブックとインスタグラムの265のアカウントとページを削除したことを発表した。2019年5月17日にはAP通信社がデジタル・フォレンジック・リサーチラボのコメントと合わせた記事を掲載した。

　削除対象となったアカウントは現地の人間あるいは地方新聞を名乗っていたがウソだった。そして政治家からのリークだというフェイクニュースなどを広めていた。ナイジェリア、セネガル、トーゴ、アンゴラ、ニジェール、チュニジア、マリ、ガーナといったアフリカの国々、ラテンアメリカ、東南アジア、少なくとも13カ国で活動が確認された（フェイスブックの発表にはなかったが、のちにデジタル・フォレンジック・リサーチラボで確認されたものも含めた）。

　地方紙やファクトチェック組織に見せかけたサイトを作り、当該政治家に関するリーク情報を掲載し、地元の政治家を支援もしくは攻撃していた。これらのページは地元の人間が作ったような体裁

だったが、国外で運営されていたことがわかった。また、日本円で
およそ9000万円に相当する広告がフェイスブックに出稿されてい
たこともわかった。

　デジタル・フォレンジック・リサーチラボは独自のレポート「世
界を狙う不正なイスラエルのフェイスブック（Inauthentic Israeli
Facebook Assets Target the World）」を公開し（事前にフェイス
ブックから連絡をもらっていた）、アルキメデスグループの活動の実
態を暴露した。

　「それはフェイクだ――マリのフェイクニュース（C'est faux--les
fake news du Mali）」というフェイクニュースを告発するサイトを
装ったフェイクニュースサイトも作られていた。マリの新聞のフェ
イクニュースを暴くとし、マリの学生が運営していることになって
いたが、実際の運営者はセネガルとポルトガルにいた。「誤報とウソ
を止める（Stop a la desinformation et aux mensonges）」とい
うページがチュニジアにあったが、実際にはすでに誤報とされてい
るものを紹介していた。

　「Ghana 24」というガーナのニュースサイトを模したプロパガン
ダサイトがあったが、イスラエルとイギリスのアカウントによって
運営されていたことがわかっている。このように多くのページは当
該国で運営されているように装っているが、実際には国外（イスラ
エル、イギリス、ポルトガルなど）で運営されていた。

　デジタル・フォレンジック・リサーチラボのレポートによればア
ルキメデスグループには、思想的な背景があるのではなく経済的な
便益が狙いだと考えられている。つまり特定の政権、政治家、政党
から金で依頼を受けてネット世論操作を実行している。（一田）

[関連用語]

　　ネット世論操作産業

　　デジタル・フォレンジック・リサーチラボ

[参考]

　　フェイスブック、ネット世論操作企業関連アカウントを大量削除（2019 年
　　5 月 20 日、ハーバービジネスオンライン）　https://hbol.jp/192658

　　Facebook busts Israel-based campaign to disrupt elections
　　（2019 年 5 月 18 日、AP 通信）　https://apnews.com/7d334cb
　　8793f49889be1bbf89f47ae5c

　　Inauthentic Israeli Facebook Assets Target the World（2019
　　年 5 月 18 日、デジタル・フォレンジック・リサーチラボ）　https://
　　medium.com/dfrlab/inauthentic-israeli-facebook-assets-
　　target-the-world-281ad7254264

インターネット・リサーチ・エージェンシー（IRA）

悪名高いロシアのネット世論操作専門組織

　インターネット・リサーチ・エージェンシー（IRA）はロシアの
ネット世論操作専門組織。代表的なトロールファクトリーである。
「ロシアのトロール軍はいかにしてアメリカを攻撃したのか
（Documents Show How Russia's Troll Army Hit America）」
によると、彼らの活動はアメリカとロシア国内を中心に行われてお
り、国内ではロシア語のサイトにコメントを投稿していた。こうし
たロシアのトロールはウクライナ侵攻の際にも活躍した。投稿回数

や保有アカウント数など細かく作業内容が決まっていた。

2015年の「The Agency」(『ニューヨーク・タイムズ』)によれば、数百人規模でツイッターやフェイスブックなどにコメントを投稿する人々がおり、目的に応じて異なる人物になりすまし、投稿地点を偽装する工夫を行っていた(IPアドレスの偽装など)。ウクライナについての仕事が多かったという。

IRAは2016年のアメリカ大統領選においても干渉工作を行っていたことがわかっている。この件を調査していた特別検察官ロバート・マラーは2018年2月18日に起訴状を提出した。起訴された企業は、IRA、CONCORD MANAGEMENT AND CONSULTING LLC、CONCORD CATERINGの3社で、後出の2社は同じく個人で起訴されたエフゲニー・プリゴジンの会社であり、IRAに資金を提供していた。プリゴジンはプーチンのシェフと異名を取るロシアの事業家である。

訴状によればIRAの予算は年間数百万ドルで、アメリカ選挙戦のピークである2016年9月頃には月間予算125万ドル以上に達していたという。また2015年頃からアメリカのネット広告に毎月数千ドルの広告を出稿していた。

IRAは470のフェイスブックアカウントを運用し、8万ページを作り、1億2600万のアメリカ人に閲覧されたという。ツイッターでは3万6000以上のボットがアメリカ大統領選についてつぶやき、13万回ツイートされ、推定2億2800万インプレッションがあった。ツイッター社によると3841のアカウントがIRAによって操作されていた。

これらのアカウントの発言はさらに一般のメディアにも取り上げ

られ、そのメッセージを拡散していた。これによると、アメリカ政府関係者やメディア関係者など40人の著名人がこれらのアカウントのメッセージを拡散していたという。そしてアメリカ大統領選挙期間中、3000を超すメディアに取り上げられ、1万1000以上の記事で引用された。

　2017年11月1日には、下院諜報活動常任特別委員会で3000の広告がIRAによってフェイスブックに出稿され、1100万人が見たという。その広告には「Blacktivist」のものも含まれていた。2015年から2016年にかけて、毎月2500ドル（約25万円）を費やしていた。また、IRAが投稿した発言はフェイスブックとインスタグラムを合わせて、1億5000万人に閲覧されたという。

　この他にも訴状にはかなり詳細にどのような方法で干渉したかが綴られていて興味深い。

　2018年12月、フェイスブック、インスタグラム、ツイッターおよびグーグル関連会社から提供されたデータをサイバーセキュリティ企業New Knowledge社と、オクスフォード大学のネット世論操作プロジェクト（The Computational Propaganda Project）が分析し、アメリカ上院情報活動特別委員会にレポートを提出した。このレポートは公開され、さまざまなメディアに取り上げられ、大きな反響を呼んだ。これまでフェイクニュースやネット世論操作の分析は何度も行われてきたが、今回のものは主要SNSプラットフォーム企業がデータを提供したことから従来よりも広範かつ緻密な分析結果が可能となった。

　New Knowledge社のレポートの大半はロシアのネット世論操作に戦術に焦点を当てており、オクスフォード大学のレポートはSNS

プラットフォーム統計的な解析を中心に構成されている。相互に補完するような内容であるのも興味深い。

　このふたつのレポートはロシアがアメリカ大統領選に対して行ったネット世論操作、中でも IRA に焦点を当てている。インスタグラムがフェイスブック以上に活用されていたことや、アメリカ国内在住者のリクルーティングを活発に行っていたことなどが明らかになった点が注目された。メディア・ミラージュといった新しい手法についても言及されている。また、想像されていた以上に、ロシアのネット世論操作が緻密かつ計画的であり、民間企業のデジタルマーケティングの技法を取り入れた洗練されたものであることもわかった。アメリカ選挙期間よりも以前から文化的に侵食していたことも新しい発見だった。

　なお、ロシアには IRA 以外にもネット世論操作を行う FAN（Federal News Agency）などがある（IRA と同じビルにあり、連携している可能性が高い）。（一田）

［関連用語］
　　ネット世論操作産業　ハイブリッド戦　フェイスブック
［参考］
　　Russia's Online-Comment Propaganda Army（2013 年 10 月 9
　　日、The Atlantic）
　　https://www.theatlantic.com/international/
　　archive/2013/10/russias-online-comment-propaganda-
　　army/280432/
　　Documents Show How Russia's Troll Army Hit America（2014
　　年 6 月 2 日、BuzzFeed News）

https://www.buzzfeednews.com/article/maxseddon/documents-show-how-russias-troll-army-hit-america

The Agency（2015 年 6 月 2 日、ニューヨークタイムズ）
https://www.nytimes.com/2015/06/07/magazine/the-agency.html

Russian Trolls Duped Global Media And Nearly 40 Celebrities（2017 年 11 月 4 日、NBC）
https://www.nbcnews.com/tech/social-media/trump-other-politicians-celebs-shared-boosted-russian-troll-tweets-n817036

The Tactics & Tropes of the Internet Research Agency（Renee DiResta, Dr. Kris Shaffer, Becky Ruppel, David Sullivan, Robert Matney, Ryan Fox "New Knowledge"、Dr. Jonathan Albright "Tow Center for Digital Journalism, Columbia University"、Ben Johnson "Canfield Research, LLC"）
https://digitalcommons.unl.edu/senatedocs/2/

The IRA, Social Media and Political Polarization in the United States, 2012-2018（Philip N. Howard, Bharath Ganesh, Dimitra Liotsiou, John Kelly & Camille Francois,Working Paper 2018.2. Oxford, UK: Project on Computational Propaganda. comprop.oii.ox.ac.uk. 46 pp.）
https://comprop.oii.ox.ac.uk/research/ira-political-polarization/

ロシアのネット世論操作の手法と威力。英米 2 つのリポートで明らかに（2019 年 2 月 18 日、ハーバービジネスオンライン）
https://hbol.jp/185986

欧州ハイブリッド脅威センター
ロシアのネット世論操作に対抗するEUとNATOの組織

　2018年4月26日、ハイブリッド脅威に対応するために発足した
EUとNATOの組織である。当初9カ国からスタートしたが、増加
を続け、20カ国を超えている。ヨーロッパの他の機関と連携し、ロ
シアからの脅威を主に対応する。

　欧州ハイブリッド脅威センターのウェブサイトには、ニュースやイ
ベントの情報や各種報告書があり、情報源としても役に立つ。(一田)

[関連用語]
　　East Stratcom Task Force　ハイブリッド戦
　　クレムリンのトロイの木馬
[参考]
　　The European Centre of Excellence for Countering Hybrid
　　　Threats
　　　https://www.hybridcoe.fi

ガンマグループ
シチズンラボに暴かれたサイバー軍需企業

　ガンマグループ(Gamma Group)は、政府機関および法執行機
関向けにガバメントウェアを提供しており、ヨーロッパ、アジア、

中東、アフリカに支社がある。

　2013 年 3 月トロントのシチズンラボは、「たった 2 回のクリック——FinFisher の世界的拡散（You Only Click Twice: FinFisher's Global Proliferation）」と題するレポートを公開し、世界 25 カ国（日本も含まれる）に及ぶ国際的サイバー諜報活動を暴露した。これらの国々には、ガバメントウェアに命令を出すサーバ（C&C サーバ）が存在していた。なお、日本にあった C&C サーバは過去に存在していたことが確認されただけで、活動実態は不明である。

　シチズンラボによれば、エチオピア政府やベトナム政府が反体制派や人権活動家、仮想敵国をターゲットとしていたようだ。

　このシステムにはふたつのソフトがある。ひとつは、スパイウェアである。PC などに感染し、情報を盗み出したり、盗聴したりする FinSpy という製品だ。もうひとつはスパイウェアに命令を送ったり、新しいバージョンを送ったりする C&C サーバだ。このふたつを含む監視パッケージが FinFisher である。

　これらは感染した PC の持ち主の通信を盗聴するだけでなく、蓄積されている個人情報やデータを盗み、PC に装着されているカメラやマイクを遠隔操作してリアルタイムで撮影したり、周囲の音を拾ったりできる。

　このレポートが公表された直後に、インドネシアのインターネットプロバイダ 3 社が FinSpy を使って顧客を監視していた疑いが露見し、政府が調査に乗り出すという騒ぎがあった。どうやら、これは FinSpy の違法コピーを使用したらしい。

　ガンマグループの説明によれば、FinSpy や FinFisher は犯罪者やテロリストなどを監視するためのものであり、正しい使い方をす

れば治安の維持、社会の安全向上に役立つものということになる。もちろん、そんなことは誰も信用しないし、彼ら自身だって思っていないだろう。

2014年2月には、アメリカのメリーランド州に住むエチオピア出身の男性が、彼のPCを盗聴した罪でエチオピア政府を訴えた。彼のPCから発見されたマルウェアFinSpyがスカイプ通話をはじめとする彼の通信の一部始終を盗聴し、エチオピア政府に送っていたのだという。

2013年には、同社の資料がネット上にさらされる事件が起きた。漏洩した資料は40GBで、プレゼン資料や製品解説、C&Cサーバのネットワークなど多岐にわたり、ソースコードやリリースノートまで含まれていた。クライアントサポートのアクセス統計を見ると、FinFisherが世界各国で幅広く支持、利用されているかわかる。

なお、このアクセス統計には、日本も登場している。他のレポートでも日本にサーバがあったことは確認されているので、顧客のアクセス統計にも登場していることと合わせて考えると、日本政府機関がFinFisherを利用している可能性は否定できない。

盗み出された資料はツイッター（https://twitter.com/GammaGroupPR、現在凍結）とRedditで公開された。ツイッターのアカウントはまだ生きているので、直接そのアカウントを見ることもできた。

2017年10月16日、ロシアのセキュリティベンダ、カスペルスキーが、中東のハッキンググループ「BlackOasis」がFinSpyの技術を利用したマルウェアを使用していたことを発見した。

さらに2019年6月10日、カスペルスキーは、ガンマグループの

最新の製品の機能を暴露し、ミャンマーで使われていたことをブログに掲載した。プライベートなメッセンジャー（フェイスブック・メッセンジャー、WeChat、スカイプ、LINE など）の内容を取得でき、iOS 版、アンドロイド版があった。（一田）

[関連用語]

　　ハッキングチーム　サイバー軍需産業、企業　ガバメントウェア

[参考]

　　世界 25 カ国において人権活動家や反体制勢力の監視にスパイウェア FinSpy を利用の可能性

　　http://kichida.tumblr.com/post/45299736690/25-finspy

　　For Their Eyes Only: The Commercialization of Digital Spying

　　https://citizenlab.org/2013/04/for-their-eyes-only-2/

　　Indonesian Top Internet Service Providers Accused of Spying on Users

　　http://www.techinasia.com/indonesian-top-internet-service-providers-accused-spying-users/

　　American Sues Ethiopian Government for Spyware Infection EFF

　　https://www.eff.org/press/releases/american-sues-ethiopian-government-spyware-infection

　　Top gov't spyware company hacked; Gamma's FinFisher leaked

　　http://www.zdnet.com/top-govt-spyware-company-hacked-gammas-finfisher-leaked-7000032399/

　　BlackOasis APT and new targeted attacks leveraging zero-day exploit

　　https://securelist.com/blackoasis-apt-and-new-targeted-attacks-leveraging-zero-day-exploit/82732/

New FinSpy iOS and Android implants revealed ITW
　　https://securelist.com/new-finspy-ios-and-android-
　　implants-revealed-itw/91685/
ガンマグループのページ　https://www.gammagroup.com

五毛党
中国のネット世論操作部隊

　有名な中国のネット世論操作部隊で英語名は 50 Cent Party である。名前の由来は書き込みを 1 回行った時の謝礼が 5 毛（0.5 元）だったからと言われているが真偽のほどは明らかではない。この金額からもわかるように当初は学生のバイトと考えられていたが、実際はそうではないらしい。

　ハーヴァード大学のレポート「中国政府はいかにして SNS へ投稿するのか（How the Chinese Government Fabricates Social Media Posts for Strategic Distraction, not Engaged Argument）」によると、五毛党は毎年 4 億 4800 万のコメントを書き込んでおり、4 万 3800 件のコメントを分析した結果、99.3% は中国政府のさまざまな部局の関係者によるものだった。中心にあったのは中国江西省贛州市章貢区にあるインターネットプロパガンダ部門だ。

　その目的は中国政府の支援であるが、直接政権支持を書き込んだり、政府批判者を攻撃することはなく、関係のない話題を大量を書き込んだり、炎上させたりして目をそらしたりしている。

メンバーの数は200万人と言われており（資料によってかなり開きがある）、そのうち30万人が専任となっている。その対象は主として中国国内であった。ウイグルや香港などをターゲットに活動している。

　2019年の香港の抗議活動では五毛党が活動していたことが報道され、フェイスブックやツイッターは五毛党に関係するアカウントを停止するなどの措置を行った。

　2016年、中国からの独立を志向する政党が政権を握ってから台湾もそのターゲットになった。

　台湾の台湾英文新聞には「台湾を狙った中国の〝トロール工場〟、偽情報で選挙を混乱に（China's 'troll factory' targeting Taiwan with disinformation prior to election)」（2018年11月5日）と題する記事で、台湾の選挙に先立って五毛党が微博（ウェイボー）、フェイスブック、YouTube、ツイッター、LINE、PTT（台湾で利用者の多い掲示板 Professional Technology Temple）などのSNSでネット世論操作を行っていたとしている。

　Diba Central Army と呼ばれることもある。（一田）

[関連用語]
　　ネット世論操作産業　ボット、トロール、サイボーグ
[参考]

How the Chinese Government Fabricates Social Media Posts for Strategic Distraction, not Engaged Argument.（2017年8月29日、Gary King, Jennifer Pan, and Margaret E. Roberts. 2017. American Political Science Review, 111, 3, Pp. 484-

501)

https://gking.harvard.edu/5oC

Information operations directed at Hong Kong(2019 年 8 月 19
日、ツイッター社ブログ)

https://blog.twitter.com/en_us/topics/company/2019/
information_operations_directed_at_Hong_Kong.html

Removing Coordinated Inauthentic Behavior From China
(2019 年 8 月 19 日、フェイスブック社ニュースルーム)

https://about.fb.com/news/2019/08/removing-cib-china/

サラセン
インドネシア最大のフェイクニュース発信源

　インドネシアのネット世論操作組織。一時期、同国最大のフェ
イクニュース発信源と言われていた。ただ、同国には多数のフェ
イクニュース発信源がある。同組織に関する報道としては、「サラ
センは取り締まりにあったがフェイクニュースはこれで終わるの
か？（Saracen Is Shut Down. But Can We Ever Really Beat
Fake News?)」「インドネシアの警察が〝フェイクニュース工場〟
を発見（Indonesian police uncover 'fake news factory')」「ヘイ
トスピーチをネット拡散する組織を摘発（Indonesians uncover
syndicate spreading hate speech online: police)」などがある。

　これらの記事によると、2014 年の知事選でネット世論操作を請
け負っていた。仕事の内容は、サラセンのメディアに記事を投稿し、
拡散することである。フェイスブックには 80 万以上のフォロワー

がおり、1回の投稿でおよそ7500ドルの広告収入を得られるという（報道によって多少金額は異なる）。2017年8月24日にはインドネシア警察はサラセンのメンバー3人を逮捕した。

　サラセン撲滅のためのこうした一連の活動とは裏腹に、いまだに同組織は活発に活動しているようで、2019年にはフェイスブックがサラセン由来のアカウントを停止したと発表した。「インドネシアでの不正行為の解消（Taking Down Coordinated Inauthentic Behavior in Indonesia）」によれば、まず2019年1月21日にフェイスブックのアカウント800、フェイスブックグループ546、インスタグラムのアカウント208（インスタグラムはフェイスブック社のグループ）を停止したと発表した。これらのフェイスブックはおよそ17万、インスタグラムには6万5000のフォロワーがいたという。その後、2019年4月11日に78のフェイスブックアカウント、108グループ、14のインスタグラムのアカウントを停止したことを追記した。また、2017年10月から2019年3月にかけてフェイスブックに広告を出稿していたことも確認されたという。(一田)

[関連用語]

　　フェイクニュース　ネット世論操作産業

　　ボット、トロール、サイボーグ

[参考]

　Saracen Is Shut Down. But Can We Ever Really Beat Fake News?（2017年8月26日、VICE）

　　https://www.vice.com/en_id/article/3kk7v5/saracen-has-been-shut-down-but-can-we-ever-really-beat-fake-news

Indonesian police uncover 'fake news factory'（2017 年 9 月 17
  日、THE STRAITS TIMES）
  https://www.straitstimes.com/asia/se-asia/indonesian-
  police-uncover-fake-news-factory
Indonesians uncover syndicate spreading hate speech online:
  police（2017 年 8 月 24 日、ロイター）
  https://www.reuters.com/article/us-indonesia-cyber/
  indonesians-uncover-syndicate-spreading-hate-speech-
  online-police-idUSKCN1B419W
Taking Down Coordinated Inauthentic Behavior in Indonesia
  （2019 年 1 月 31 日、フェイスブックニューズルーム）
  https://about.fb.com/news/2019/01/taking-down-
  coordinated-inauthentic-behavior-in-indonesia/

ジオフィーディア
ACLUに名指しされ批判されたSNS監視アプリ企業

　2011年に設立されたジオフィーディアはSNS監視分析企業のひ
とつで、黒人人権運動で一躍注目を浴びた。

　2016 年 10 月 11 日、アメリカ自由人権協会（ACLU）のブ
ログに掲載されたレポート「フェイスブック、Instagram、お
よびツイッターが黒人人権運動の活動家に関するデータを提供
（Facebook, Instagram, and Twitter Provided Data Access
for a Surveillance Product Marketed to Target Activists of
Color）」で、ジオフィーディアを始めとする SNS 監視分析企業が全
米の法執行機関などと契約を結び、フェイスブック、インスタグラ

ム、ツイッターなどからデータの提供を受けて市民の動きを監視するソフトウェアを提供していると非難された。レポートによれば、特定の人種をターゲットにした監視を行い、個人情報や位置情報を集めていたという。その時点でジオフィーディアはアメリカ国内で500の法執行機関および関係機関とSNS監視分析アプリ提供の契約を結んでいた。

ジオフィーディア社は、ボルチモアの暴動に同社がどのように対応したかをケーススタディ資料にまとめて配布していた（現在、同社のサイトにはない）。そのレポートによれば5年間の契約で毎年2万ドル（約200万円）が同社に支払われていた。

ACLUのレポート公開後、同社にデータを提供していたSNS各社は契約を破棄し、データベースにアクセスできないようにした。ちなみにツイッター社はレポートと同じ日にジオフィーディア社に対するデータ提供を止めたとツイートしている。

2016年末以降、同社に関する情報はほとんどなく、公式ツイッターも更新されていない。この騒動の後、同社は半分の社員を解雇したという報道もある。

ただし、ACLUの告発が印象深かったこともあり、その後もSNS監視についての話題が出ると同社の名前が引き合いに出されることは多い。（一田）

[関連用語]
　　ゼロフォックス　アメリカ自由人権協会（ACLU）
　　黒人人権運動

[参考]

Facebook, Instagram, and Twitter Provided Data Access for a Surveillance Product Marketed to Target Activists of Color（2016 年 10 月 11 日、ACLU）

https://www.aclu.org/blog/privacy-technology/internet-privacy/facebook-instagram-and-twitter-provided-data-access/

What is Geofeedia? The tool police say could have warned them to Capital Gazette shooter（2018 年 7 月 30 日、USA TODAY）

https://www.usatoday.com/story/tech/2018/06/30/geofeedia-software-police-say-could-have-helped-track-capital-gazette-shooter/746009002/

Geofeedia

https://geofeedia.com

シチズンラボ

数々のネット上の人権侵害を暴いてきた
トロント大学の研究機関

　シチズンラボはカナダのトロント大学のムンク国際問題研究所にある学際的研究機関である。2001 年にロナルド・デイバートによって創設された。ネットワーク技術と政治、人権に関する分野を主に研究している。その活動は調査報道に近く、これまで数多くのサイバー軍需企業などによる人権侵害を暴いてきた。

　シチズンラボの研究成果が数多くのメディアに取り上げられることも多く、世界的な影響力を持った研究機関と言える。

研究分野は 6 つである。それぞれに簡単な紹介を付したが、シチズンラボの実績は多数あり、とても全てを紹介しきれるものではない。関心を持たれた方は、ぜひシチズンラボのサイトを覗いていただきたい。

◉市民社会への脅威（Targeted Threats）

　ガバメントウェアなどによる国民やジャーナリスト、人権活動家などへの諜報活動についての調査。過去にイスラエルの NSO グループやガンマグループ、ハッキングチームの活動を暴いた。

◉表現の自由への脅威（Free Expression Online）

　ネットにおける表現の自由を脅かす活動や検閲などを暴いてきた。デュアルユース・テクノロジーの危険性についてのレポートや WeChat の検閲を暴いた。

◉企業や政府の透明性と責任（Transparency and Accountability）

　企業や政府が個人の情報をどのように収集し、利用しているかについての透明性と責任に関する研究。カナダ政府についての研究活動などを行っている。

◉一般的なアプリからの個人情報の漏洩（App Privacy and Controls）

　一般的なアプリから個人情報が漏洩され、利用されることについて調査している。フィットネスアプリの位置情報から行動を追跡される危険性を指摘したり、ストーカーウェアが DV 加害者に利用されている実態調査などを行った。

◉海外組織との連携（Global Research Network）

　海外の人権団体などと連携し、活動している。

◉ネットを安全に利用するためのツールや情報の提供（Tools &

Resources)

　なお、2019年1月にイスラエルの民間スパイ代行業者（BlackCube社と推察）がシチズンラボの研究員2名に別々に接触してきたことをAP通信社の協力を得て明らかにした。雇い主はNSOグループと考えられるが、確証は得ていない。この件についてシチズンラボは声明を発表した。（一田）

[関連用語]
　　サイバー軍需産業、企業　ガンマグループ　ハッキングチーム
　　NSOグループ　デュアルユース・テクノロジー
[参考]
　　シチズンラボ
　　　https://citizenlab.ca
　　スパイ代行業者に狙われた権力監視機関シチズンラボ（2019年2月5日、ScanNetSecurity）
　　　https://scan.netsecurity.ne.jp/article/2019/02/05/41924.html

ゼロフォックス
黒人人権運動の際に猛烈なプロモーションを行ったSNS監視アプリ企業

　メリーランド州ボルチモアに本社のある、SNSの監視と分析に特化したアプリを開発、提供している企業で2013年に設立された。

SNSなどの情報だけでなく、いわゆるアンダーグラウンドのディープウェブなども監視対象にできる。

SNSの投稿を元に危険な人物や徴候を監視したり、なりすましやフィッシング詐欺を見つけ出す。人工知能を用いた分析を行っている。

ボルチモアで黒人人権運動の暴動が発生した際、同社は「危機管理」と題する22ページのレポートをボルチモア市に無償で提供した。同社はすでにこの事件に関係ありそうな340人を監視し、一握りの〝要注意人物（Threat Actors）〟にフォーカスした分析を行い、その詳しい内容までレポートに記載されていた。また対策についても数多くの提案を含んでいた。

このレポートでは、市民活動家になりすまして抗議活動を煽るような発言を行っているロシア政府関係者のなりすまし（と推定される）アカウントも特定しており、アメリカ国内が混乱に陥るように誘導しているのではないかと指摘していた。筆者の知る限りでは、黒人人権運動にロシアが関与していたことを明らかにしたのはこれが最初である。

ゼロフォックス社はボルチモア市だけでなく全米各州の市長に対して、「今が行動の時です」と題する電子メールを社長名で送付している。ボルチモアの暴動は他人事ではなく、早期に予防の仕組みを作っておくことが大事であることと、同社のアプリが役に立つことが書かれていた。

現在、同社は民間企業向けのサービスにも事業を広げている。(一田)

[関連用語]
　　ジオフィーディア　アメリカ自由人権協会（ACLU）

黒人人権運動

[参考]

ZeroFOX under fire for social media 'Threat Actors' report during Baltimore riots（2015 年 8 月 4 日、Technical.ly）
https://technical.ly/baltimore/2015/08/04/zerofox-fire-social-media-threat-actors-report-baltimore-riots/

City faced cyberattacks amid chaos and unrest on the streets（2015 年 7 月 31 日、THE BALTIMORE SUN）
https://www.baltimoresun.com/news/investigations/bs-md-ci-cyber-riot-20150731-story.html

Emails from the Baltimore unrest: Explore documents and findings（2015 年 7 月 30 日、THE BALTIMORE SUN）
https://www.baltimoresun.com/news/crime/bal-emails-from-the-unrest-20150730-htmlstory.html

ZeroFox
https://www.zerofox.com/

デジタル・フォレンジック・リサーチラボ
ネット世論操作の調査で世界的に有名な研究チーム

　アメリカのシンクタンク大西洋評議会（Atlantic Council）の研究所で、主にネット世論操作を中心に調査、検証を行い大手ブログサイト Medium で公開することが多い。ロシアやイランを始めとし、世界各地で起きているネット世論操作を暴いている。

　ツイッター社やフェイスブック社から公開前にデータの提供を受けて解析を行うこともあり、他の研究機関と共同で調査を行うこと

もある。直近ではフェイスブック社が2019年12月にフェイスブックが削除したアカウントについて、同社からデータの提供を受けてGraphika社と協同で調査を行い、レポートを公開した。（一田）

[関連用語]
　　ネット世論操作産業　ベン・ニモ
[参考]
　　Digital Forensic Research Lab
　　　https://medium.com/dfrlab
　　　https://www.digitalsherlocks.org
　　Graphika and DFRLab release joint report #OperationFFS
　　　（2019年12月20日、デジタル・フォレンジック・リサーチラボ）
　　　https://medium.com/dfrlab/graphika-and-dfrlab-release-
　　　joint-report-operationffs-501d0cb31c5e

データ傍受技術ユニット（DITU）
FBIの世界最強の盗聴機関

　DITU（Data Intercept Technology Unit）はアメリカFBIの部署のひとつであり、「世界最強の盗聴機関」と呼ばれる。

　2013年、エドワード・スノーデンが、アメリカ政府機関の大規模な傍受、監視についての告発を行った。インターネットプロバイダやSNSプラットフォームやIT企業からアメリカ政府が情報提供を受けていたことや、海外へのハッキング行為など幅広い内容でそれまで公式に確認されたことのないものだった。特に衝撃的だった

のはアメリカ国家安全保障局（NSA）が行っていた SNS プラット
フォームなどから情報を収集する PRISM というプロジェクトだ。
スノーデンが暴露した NSA のスライドの 7 枚目に DITU が登場し
ている。PRISM には FBI も関与しており、SNS プラットフォーム
などから情報を受け取っていたのは NSA ではなく、FBI の DITU な
のだ。

　スノーデンの告発以降、「NSA は自国民を監視していた」という
非難が巻き起こったが、実際にデータを収集していたのは DITU で
あり、同氏の告発が表に出た当初名前を挙げられた多くの企業が
「NSA にデータ提供していない」と言ったのも、「データを受け取っ
たのは FBI の DITU で、そこから NSA に届けられた」からウソで
はない。

　アメリカの軍ネット複合体の実態を暴いたシェーン・ハリス『@
War』によると、議会証言で名前が出たこともこの 50 年で数回の
みである。また NSA の PRISM は DITU なしでは不可能だったとま
で書いている。

　そもそも全世界のインターネットの 80% がアメリカを経由する
と言われており、アメリカは世界中を盗聴しやすい環境にある。

　その他に 2013 年には、マイクロソフト社が outlook.com をリ
ニューアルした際、暗号化されて内容が読めなくなるのを回避でき
る抜け道を作らせていたことが暴露された。

　また、シリア電子軍が DITU をハッキングして内部データを盗み
出した際に、マイクロソフト社からの請求書が発見された。2012 年
12 月の請求額は、14 万 5100 ドル（約 1450 万円）、2013 年の 8
月には倍の 35 万 2200 ドル（約 3520 万円）に増えている。

DITU はマルウェアを使って情報を盗み出したり、監視したりしている。政府機関の使うマルウェアはガバメントマルウェア、ポリスマルウェアあるいはリーガルマルウェアと呼ばれる。

DITU が利用した盗聴システム、ソフトウェアとして Omivore、Carnivore、Magic Lantern などが知られている。（一田）

［関連用語］
　エドワード・スノーデン　PRISM、XKEYSCORE
［参考］
　『@War:The Rise of the Military-Internet Complex』（2014 年 11 月 11 日、Shane Harris、Eamon Dolan / Houghton Mifflin Harcourt ）
　How Much Microsoft Charges the FBI for User Data（2014 年 3 月 20 日、ギズモード）
　https://gizmodo.com/how-much-microsoft-charges-the-fbi-for-user-data-1548308627

電子フロンティア財団（EFF）
サイバー空間における人権を守るNPO

オンラインにおける市民の自由を啓蒙し、それを守るために活動している非営利団体。1990 年 7 月設立、拠点は米サンフランシスコ。あえて大雑把に表現するなら、サイバー空間を専門として積極的に活動する、法的訴訟に強い人権団体と言えるだろう。

　彼らの初期の活動は、政府による市民の検閲に関連したものが多かった。たとえば、人権やプライバシーが危険に晒されている市民や団体が、政府機関と法廷で争う際の法的支援を行う、あるいは法執行機関が実施している閲覧行為について広く市民に警告するなどだ。

　しかし近年では、「特定の強力な企業」によるユーザーの人権侵害や、それらの企業と政府との関係などに注目する機会も多くなってきた。2019 年 11 月現在、EFF の公式ウェブサイトには次のように記されている。「政府の権力濫用に異議を唱えるのと同様に、我々は企業の『やりすぎ』にも異議を唱えている」

　さらに同団体は、ユーザーのプライバシーとセキュリティを保護するためのテクノロジーも自ら開発しており、それらのツールは誰でも無料で利用できるようになっている。たとえばブラウザ上で密かに行われるトラッキングを感知し、それをブロックする「Privacy Badger」や、閲覧するウェブサイトが SSL に対応しているかぎりは強制的に https 接続を行う「HTTPS Everywhere」などのアドインは、一般の個人ユーザーも気軽に使える拡張機能だ。（江添）

［関連用語］
　　黒人人権運動　ガンマグループ
［参考］
　　電子フロンティア財団（EFF）
　　　　https://www.eff.org/
　　Do Not Track（EFF）
　　　　https://www.eff.org/issues/do-not-track

内閣官房情報セキュリティセンター（NISC）
日本のサイバーセキュリティの中枢

　2014年に成立したサイバーセキュリティ基本法に基づき、2015年内閣官房に内閣サイバーセキュリティセンター（NISC）が設置された。前身となる組織は2000年にできており、NISCという略称の組織は2005年に発足した内閣官房情報セキュリティセンターである。日本語の名称は変わったものの、英語の略称NISCは変わっていない。

　我が国のサイバーセキュリティの中枢となる機関だが、実働部隊というよりは計画、連絡組織である。国際的な窓口にもなっており、JPCERT/CCとともにFIRSTに参加している。メンバーは関連省庁や民間企業からの出向者が中心で一定期間で交代する。官庁からの出向者は総務省が最も多く、半数以上を占めているといわれる。

　NISCに限らず、日本の官公庁は実働部隊よりも計画や連絡のための組織を作りがちである。我が国には元々サイバーセキュリティならびにネット世論操作の専門家は少なく、戦略的あるいは国際的な感覚を持った者はさらに限られる。元になる人材が一握りしかいないのに計画や連絡組織を増やしても、官僚の勉強の場になるだけで、しかも数年で担当者は代わることになる。つまりなにも残らない危惧がある。

　2015年に発生した日本年金機構情報漏洩事件では125万件の個人情報が流出し、その後同機構はセキュリティを見直し、コンピュータセキュリティインシデント対応チーム（CSIRT）を設置した。も

ちろん、犯人は捕まらず時効を迎えた。

　その2年後の2017年には再び職員が個人情報を持ち出すという、日本年金機構淀川年金事務所漏洩事件が起きた。情報の持ちだしは2014年から2016年にかけて行われており、その期間に前述の日本年金機構情報漏洩事件が起きている。このことから日本年金機構は充分な教訓も得ておらず、組織や体制の見直しや強化は不十分だったとしか言えない。その理由のひとつは国内の人材不足である可能性が高い。組織内にCSIRTを設置しても知識も経験もない者ばかりでは機能するはずがない。2015年8月20日のNISCのこの事件に関する調査報告書にはNISCの関わりと役割も書かれている。情報漏洩が再発（厳密には継続）したことからNISCも充分に機能していないと思われる。NISCの役割は情報提供、指示、演習、監査などだが、それはあくまでも受けとる側に人材がいてこそ機能する。この事件においてNISCは絵に描いた餅を食べさせようとしたことになる。正確に言えばこの事件は定期検査で発覚したのであるから、2年間かかったが効果があったとも言える（2年間見過ごした問題は大きいが）。

　誤解ないよう補足すると、NISCは与えられた役割をこなしているだけであり、そのような役割分担で機能すると考えた人間が間違っていたのである。

　人材育成には時間がかかるため、今後も我が国の安全保障上のネックとなることは間違いない。NISCは日本の施策の問題点を象徴している。（一田）

[関連用語]

　　JPCERT コーディネーションセンター　FIRST

[参考]

　　内閣サイバーセキュリティセンター

　　　https://www.nisc.go.jp/index.html

　　JPCERT/CC、内閣官房内閣サイバーセキュリティセンターと国際連携
　　活動及び情報共有等に関するパートナーシップを締結

　　　https://www.jpcert.or.jp/pr/2015/pr150001.html

　　日本年金機構における不正アクセスによる情報流出事案について
　　（2015 年 6 月 25 日、厚生労働省）

　　　https://www.mhlw.go.jp/stf/seisakunitsuite/
　　　bunya/0000152638.html

　　日本年金機構の個人情報流出について（2015 年）

　　　https://www.nisc.go.jp/conference/cs/taisaku/ciso/dai03/
　　　pdf/03shiryou01.pdf

　　日本年金機構における個人情報流出事案に関する　原因究明調査結果
　　（2015 年 8 月 20 日）

　　　https://www.nisc.go.jp/active/kihon/pdf/incident_report.
　　　pdf

　　年金事務所職員と元上司、個人情報盗んだ疑いで逮捕（2017 年 6 月
　　29 日、朝日新聞）

　　　https://www.asahi.com/articles/ASK6Y5D1VK6YPTIL01C.
　　　html

　　特定個人情報保護評価書（全項目評価書）（厚生労働省）*72 ページに
　　機構の定期検査で事件を発見したことについて記載がある。

　　　https://www.mhlw.go.jp/content/12600000/000307037.
　　　pdf

　　よくぞ出した、NISC の調査報告！（2018 年 8 月 27 日、LAC）

　　　https://www.lac.co.jp/lacwatch/people/20150827_000241.
　　　html

ハッキングチーム
Memento Labsとして再スタートしたサイバー軍需企業

　ハッキングチーム（Hacking Team）は、イタリア、ミラノにあったサイバー軍需企業である。

　2014年6月24日、ロシアのアンチウイルスソフトベンダのカスペルスキーラボとトロント大学のシチズンラボは共同で「Galileo」と呼ばれる世界規模のRCS（Remote Control System）を暴露した。Galileo用のC&Cサーバ（マルウェアに命令を送るサーバ）は、アメリカ、カザフスタン、エクアドル、イギリス、カナダなど40カ国に設置されており、ここから命令を送っていた。最多のアメリカには64のサーバが存在しており、日本にもサーバが設置されていたことが確認されている。これだけ多くの国にC&Cサーバが置かれているのは、「Galileo」を利用する各国政府機関が自国内にサーバを置いた方が、容易に管理、制御できると判断したためだろうとレポートは指摘している。

　Galileoはスマホに感染し、位置情報、画像、カレンダー、ソーシャルネットワークの通話やメッセージを盗聴し、サーバに送信する。持ち主の個人情報は盗まれ、その後も監視されることになる。感染方法は、メールを介した感染からUSBメモリを用いたもの、ゼロデイ攻撃による侵入など多岐にわたる。

　シチズンラボによれば、ハッキングチームはGalileoを使いこなすための顧客向けのトレーニングプログラムを用意しており、収集した情報の解析は専門のアナリストが行うことになっているそう

だ。

　ハッキングチームは自社の製品について、世の中にはびこるサイバー犯罪やテロを未然に防ぐための強力なツールなのだと説明し、販売先を政府関係機関のみに限定し、民間には製品を売ることはないとしている。そしてアメリカ、EU、国連、NATO、ASEAN のブラックリストに載っている国には売らないという。

　しかし、実際にはジャーナリストや反体制的アメリカ人も Galileo のターゲットになっていたことがシチズンラボに指摘されており、どこまでそのポリシーが守られているかは疑問だった。

　2015 年 7 月 5 日にネット上に同社の 400GB 以上の内部資料が公開された。内部の電子メールや顧客リスト、ソースコードなどまで含むもので、これにより、人権上問題のある国々との取引が明るみに出た。

　これをきっかけに同社は凋落し、社員が辞めていった。

　その後、2019 年 4 月に InTheCyber に買収された後、合併し、Memento Labs として再スタートしている。

[関連用語]

　ガンマグループ　サイバー軍需産業、企業　ガバメントウェア
　シチズンラボ

[参考]

　Police Story: Hacking Team's Government Surveillance
　　Malware
　　https://citizenlab.org/2014/06/backdoor-hacking-teams-
　　tradecraft-android-implant/

A DETAILED LOOK AT HACKING TEAM'S EMAILS ABOUT
  ITS REPRESSIVE CLIENTS
  https://theintercept.com/2015/07/07/leaked-documents-
  confirm-hacking-team-sells-spyware-repressive-
  countries/
How Hacking Team got hacked
  https://arstechnica.com/information-technology/2016/04/
  how-hacking-team-got-hacked-phineas-phisher/
Hacking Team's New Owner: 'We're Starting From Scratch'
  https://www.vice.com/en_us/article/neavnm/hacking-
  team-new-owner-starting-from-scratch

フェイスブック（Facebook）
世界最大のSNS企業の利用者の70%は
アジア、アフリカ、ラテンアメリカ

　フェイスブックは、SNS のひとつであり、それを運用している企業の名称でもある。数ある SNS 企業の中でフェイスブックのみ取り上げたことには理由がある。フェイスブックについて箇条書きした下記をご覧いただければ、その理由がわかっていただけると思う。

●フェイスブックは傘下に、WhatsApp、インスタグラム、フェイスブックメッセンジャーを擁する世界最大の SNS 企業である。
● 2018 年の SNS 利用者（DAUs、デイリーアクティブユーザーズ）のシェアでは上位 10 に前述の 4 つのサービスがランクインし

ており、のべ利用者は63億人（2018年の世界人口がおよそ76億人）である。なお、トップ10の残りの5社は中国系SNS企業とYouTubeである。世界のSNS利用者はフェイスブックと中国系SNSの寡占状態にある。

●フェイスブックの利用者の70%は北米およびヨーロッパ以外の地域（主としてアジア、ラテンアメリカ、アフリカ）である。北米とヨーロッパの利用者は横ばいだが、それ以外の地域の利用者は増加している。北米およびヨーロッパ以外の地域のほとんどの国は「完全な民主主義」ではなく、権威主義国家も少なくない。

2019年SNSアクティブユーザー数

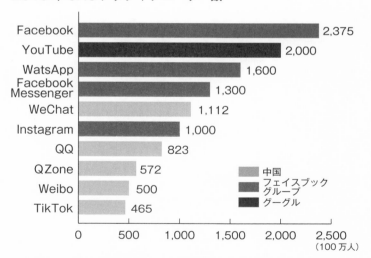

統計ポータル sta2sta（h5ps://www.sta2sta.com/sta2s2cs/272014/global-social-networks-ranked-by-number-of-users/）による。
オリジナルデータは『We Are Social；Varioussources(Companydata)』Hootsuite より。

●アメリカ成人のニュース接触率では、フェイスブックが43%とずば抜けて多い。

●フェイスブックはインターネットが普及していない地域（主としてアジア、ラテンアメリカ、アフリカ）に無償のインターネットサービス「Free Basics」を提供している。フェイスブックのページには世界で10億人が利用と書いてある。

●「Free Basics」がきっかけとなって爆発的にモバイルインターネットが普及した国が多い。これらの国ではインターネット＝フェイスブックであり、「デジタル植民地主義」と批判されている。「Free Basics」ではフェイスブックのアプリを利用してフェイスブックの用意したコンテンツや広告、サービス利用することになる。

●統計数値はないが、世界の多くの人々がフェイスブック経由でニュースを見ていることになる。

　フェイスブックはもはや一企業の枠ではおさまらない影響力を世界に対して持っていると言える。フェイスブックがひとつの国にどのような影響を与えるかを端的に示したのがロヒンギャ問題である。（一田）

［関連用語］
　　ネット世論操作産業　『超限戦』　ロヒンギャ問題
［参考］
　　Facebook Q3 2019 Results（2019年10月30日、フェイスブック）
　　　　https://s21.q4cdn.com/399680738/files/doc_financials/2019/
　　　　q3/Q3-2019-Earnings-Presentation.pdf）

News Use Across Social Media Platforms 2018（2018 年 9 月
10 日、ELISA SHEARER 、KATERINA EVA MATSA、PEW
RESEARCH CENTER）

https://www.journalism.org/2018/09/10/news-use-across-social-media-platforms-2018/)

Free Basics

https://connectivity.fb.com/free-basics/

Facebook and the New Colonialism（2016 年 2 月 11 日、The
Atlantic）

https://www.theatlantic.com/technology/archive/2016/02/facebook-and-the-new-colonialism/462393/

'It's digital colonialism': how Facebook's free internet service
has failed its users（2017 年 7 月 27 日、ガーディアン）

https://www.theguardian.com/technology/2017/jul/27/facebook-free-basics-developing-markets

Digital colonialism is threatening the Global South(2019 年 3
月 13 日、アルジャジーラ)

https://www.aljazeera.com/indepth/opinion/digital-colonialism-threatening-global-south-190129140828809.html

ベリングキャット
OSINTで数々のスクープをものにした調査報道サイト

　ベリングキャット（bellingcat）は、2014 年 7 月にイギリス人ブ
ロガーのエリオット・ヒギンズが開設した調査報道サイトである。
トレーニングや調査のためのガイドなども提供している。

　公開情報を元にした調査（OSINT）を行って、事実を明らかにしていった。2014年7月に墜落したマレーシア航空MH17便がロシアによって撃墜されたことを暴くなど国際的な事件の真相を突き止めて世界的に知られるようになった。数々の賞を受賞した他、2018年にはドキュメンタリー映画が制作され、エミー賞を受賞した。

　ベリングキャットの方法論はジャーナリズム、人権団体、シンクタンク、研究機関に大きな影響を与えたとされている。

　同サイトには初心者向けのガイドを始めとするさまざまな情報がある。（一田）

[関連用語]
　　フェイクニュース　ファクトチェック組織
[参考]
　　bellingcat
　　　https://www.bellingcat.com

防衛省情報本部
NSAのカウンターパートナーとなっている
我が国最強の諜報機関

　防衛省にある我が国最大、最強の諜報機関。一方で海外からの情報への依存が大きいため、実力を疑問視する声もある。

　公開情報から情報収集分析するOSINT（Open source

intelligence）、通信傍受によって情報収集分析する SIGINT
（Signals intelligence）、人間から情報収集分析する HUMINT
（Human intelligence）などを総合的に行う。情報本部の情報は
政府内部でも限られた範囲でしか共有されることはないとされてい
る。

　NSA が日本に提供したとされる XKEYSCORE は、この部隊の電
波部（DFS）が使用している。電波部は市ヶ谷の C1 ビルにあり、
11 の部署を持つ。相互のコミュニケーションはなく、独立して作業
に当たっている。

　福岡県筑前町大刀洗にインターネット傍受施設（コードネーム、
MALLARD）を持ち、巨大なアンテナで通信傍受を行い、毎分 50
万セッションを受信している。

　また、これらを暴露した『インターセプト』誌の記事によると、
電波部は統合幕僚監部指揮通信システム部（J6）と連携することも
ある。ただし、相互の情報はほとんどやりとりされることはなく、
互いの業務内容は知らないようだ。

　内閣情報調査室が防衛省情報本部と統合幕僚監部指揮通信システ
ム部を監督している。（一田）

［関連用語］
　　OSINT
［参考］
　　THE UNTOLD STORY OF JAPAN'S SECRET SPY AGENCY
　　（2018 年 5 月 19 日、The Intercept）
　　https://theintercept.com/2018/05/19/japan-dfs-

surveillance-agency/

Japan Provided With XKEYSCORE（2017 年 4 月 24 日、The Intercept）

https://theintercept.com/document/2017/04/24/japan-provided-with-xkeyscore/

DFS briefing Feb 2013（2018 年 5 月 19 日、The Intercept）

https://theintercept.com/document/2018/05/19/dfs-briefing-feb-2013/

DFS and NSA partnership（2018 年 5 月 19 日、The Intercept）

https://theintercept.com/document/2018/05/19/dfs-and-nsa-mutual-cooperation/

南スーダン日報、新たに発見　公開請求に不開示のものも（2018 年 4 月 9 日、朝日新聞）

https://www.asahi.com/articles/ASL495KJPL49UTIL031.html

米 NSA、日本にメール監視システム提供か　米報道（2017 年 4 月 24 日、朝日新聞）

https://www.asahi.com/articles/ASK4S6QZGK4SUHBI035.html

米国が提供したとされる電子メール監視システムに関する質問主意書（2017 年 4 月 25 日、衆議院）

http://www.shugiin.go.jp/internet/itdb_shitsumon.nsf/html/shitsumon/a193263.htm

情報本部の任務・活動（防衛省 HP）

https://www.mod.go.jp/dih/company.html

情報本部の組織（防衛省 HP）

https://www.mod.go.jp/dih/organization.html

ロシア・ビジネスネットワーク (RBN)
サイバー犯罪が産業化した時に現れたロシアのビジネス組織

RBN（Russian Business Network）はロシアのホスティング
サービス事業者であり、いわゆる防弾ホスティングサービスを提供
していた。また、RBN の発展はサイバー犯罪が拡大し、組織化され
ていく時期と一致しており、RBN はその変化の典型でもあった。
RBN についてはジャーナリストであるブライアン・クレブス氏によ
る『スパムネイション』が白眉であり、運営者に直接取材を敢行し
詳細にわたって事業の変遷を記述している。残念ながら日本語訳は
ない。

同書の中心となっているのは RBN を始めとするロシアのサイ
バー犯罪者たちの記録である。スパムがビジネスとして成立するた
めに、ドメイン、ホスティング、決済、プロモーション（スパムと
ボットネット）が必要だった。これらがどのように誕生し、産業と
して進化、分化してきたかを詳細な取材と資料を基にしたドキュメ
ントとなっている。

2000 年以降、薬のスパムを中心としたアンダーグラウンドビジ
ネスが急拡大し、規模と構造が整備されていった。2011 年には全
メールの 75% をスパムが占めるまでとなり、2013 年にはおよそ
850 億通が毎日送信されていた。だが、その一方で 2009 年以降、
薬のスパムへの締め付けは厳しくなり、各国司法当局、ICANN、ク
レジットカード会社、IT 企業が次々と関連する事業者の締め出し、
テイクダウンを行った。その結果、2013 年夏にはスパムメールが

約3分の1まで減少することとなった。

　RBNはアンダーグラウンドポルノおよび児童ポルノの事業者向けのホスティング・サービスとして始まった。

　ベラルーシ共和国ミンスクの22歳の青年アレキサンダー・ルバツキーは、ネット決済会社CyberPlat社の決済システムの構築を手伝ったが、脆弱性検査を行った際、実際に顧客データを盗み出してみせた。しかし、CyberPlat社はこれをよしとせず彼を訴えた。逮捕されたルバツキーは、盗み出したCyberPlat社の顧客データを児童ポルノ業者に売ったらしいことが2002年に報道されている。

　次にルバツキーは、いわゆる防弾ホスティング（司法機関によって停止されにくいホスティングサービス）の準備を開始した。続いて2006年ルバツキーはサンクトペテルブルクにオフィスを構えると、モスクワのAlfa銀行と提携し、Alfa-Payと呼ばれる決済サービスを開始した。表向きは普通のサービスだが、目的は児童ポルノサイト向け決済サービスだった。利用者のほとんどはアメリカ人で、1日当たり10万人ビジター、月当たり5億円を売り上げていたという。

　ルバツキーの競合には武装し、軍事トレーニングまで行って業者がいたようだが、彼はそこまでする気はなかったし、後述のロシア連邦保安庁（FSB、旧KGB）の庇護を金で買っていたので必要を感じなかった（だが、一般にRBNと聞いた時にイメージするのは武装したギャング集団のことが多い）。

　その後、競合する決済サービスであるBillCardサービスと熾烈な争いを繰り広げ、互いをつぶし合う形となった。互いにサイバー攻撃を仕掛けるとともに、司法当局を動かして互いの犯罪を告発し

あったのだ。司法当局に賄賂を送って敵対する相手を逮捕、有罪にする手法は、ロシアではごく普通に行われているらしい。

ルバツキーは、これにこりて、より安全なビジネスにシフトしようと考えた。それがホスティングサービスである。サンクトペテルブルクの ISP、Eltel を使い、当時すでにアンダーグラウンドマーケットで活躍していたヴルレヴスキー（通称 RedEye）が FSB を賄賂で取り込んだ。ロシアの法律では、FSB は民間会社に対して「コンサルティング」を行うことが許されており、ある時は暴力組織などからのボディガード、ある時は司法当局からの訴追を免れる手立てを講じてくれた。

ルバツキーは、この新しいビジネスを RBN（ロシア・ビジネスネットワーク）と呼び、当時 20 歳のエヴゲーニイ・I・セルギエンコ（通称 Flyman）をその責任者にした。Flyman は、すぐに RBN の顔となり、RBN はスパムを始めとするアンダーグラウンドの中心となっていった。

一方、パヴェル・ヴルレヴスキー（RedEye）とイゴール・グセフ（通称 Desp）は 2003 年に、ChronoPay というクレジット決済サービスをロシアで開始していた。このサービスはアンダーグラウンドで広く受け入れられたが、2005 年にイゴール・グセフは袂を分かち、2006 年にスパム配信会社 SpamIt と GlavMed を始めた。ヴルレヴスキーも 2007 年にスパム配信会社 Rx-Promotion を設立し、薬のスパムに精を出すようになる。また、ChronoPay は 2006 年頃からロシアの大手企業でも普通に使われるようになった。

このように 2008 年頃のアンダーグラウンドビジネスは、FSB やロシア政府高官をバックにつけ、やりたい放題だったようだ。毎月

年	フェーズ	拡散	規制	内容
2001 年	アンダーグラウンドビジネス勃興			アレキサンダー・ルバツキーが、CyberPlat 社に雇われる。ルバツキーは決済システムの構築、脆弱性検査を手がけた。脆弱性検査で実際に顧客データを盗んだことが、CyberPlat 社の逆鱗に触れ、逮捕される。
2002 年				ルバツキーが CyberPlat 社の顧客データを児童ポルノサイトに売っていたらしいことが暴露される。
2003 年				パヴェル・ヴルレヴスキー（通称 RedEye）とイゴール・グセフ(通称 Desp)が決済サービス会社 ChronoPay を設立する。
2005 年				グセフが ChronoPay から離れる。
2006 年				ルバツキーはサンクトペテルブルクにオフィスを構え、児童ポルノサイト向け決済サービス Alfa-Pay を始める。だが、競合する BillCard サービスと熾烈なつぶし合いを行って双方なくなる。より安全なサービスとしてホスティングサービス RBN（ロシアビジネスネットワーク）を始め、20 歳のエヴゲーニイ・I・セルギエンコ（通称 Flyman）をその責任者にした。
				ChronoPay は、ロシアの普通の大手企業にも使われ出す。MTS、Skylink など。
				グセフがスパム配信会社 SpamIt、GlavMed を設立する。
				スパマーたちが協力し、アンチスパムソリューション企業 Blue Security の 522,000 ユーザーに脅迫メールを送り、攻撃を行い、叩きつぶした。
2007 年		アンダーグラウンドビジネスが世界に拡散する		ヴルレヴスキーが、スパム配信会社 Rx-Promotion を設立する。
				ヴルレヴスキーとグセフの仲違いが顕在化する。
2008 年	最盛期		当局および民間企業、団体の規制強化	ワシントンポスト紙が、メール全体の 75% がスパムと報じる。
				サイバー犯罪者御用達の EstDomain レジストラが ICANN から登録を取り消される。マネーロンダリングとクレジットカード詐欺の疑い。以後、不正行為にかかわったドメインが抹消されるようになる。
2009 年				最初のフェイクアンチウイルスソフトが発見される。
				FTC が 3FN をテイクダウンする。
				FireEye, a Milpitas などが Mega-D ボットネットをテイクダウンする。
2010 年	衰退&新ビジネス勃興			ヴルレヴスキーがロシアのナンバーワンスパマーと名指しされる。
				Skolkovo 始動。メドベージェフ大統領が海外からの投資を呼び込むため、モスクワ郊外にロシア版のシリコンバレーを計画。スパマーへの風当たりが強くなる。
				Credit Card ACT of 2009。2010年施行。クレジットカード会社に対して、不正行為にかかわる決済に対して罰則を課した。スパムで広告していた薬とハーブの 95% はたった3社によって決済されていた。アゼルバイジャン、デンマー

年	衰退&新ビジネス勃興	アンダーグラウンドビジネスが世界に拡散する	当局および民間企業、団体の規制強化	
2010年				ク、ネイヴィス島の3箇所である。
				アエロフロートの決済システム Assist に対してサイバー攻撃が行われる。決済システムを提供していたライバルに対するヴルレヴスキーの攻撃。
				Lethic ボットネット（200,000 感染）のボットマスターが逮捕される。
				Microsoft が、Waledac ボットネットの全貌を暴き、テイクダウンする。6 万台の感染した PC からスパムを送信、277 のコントロールサーバを有していた。
				夏、数万通の ChronoPay 内部メールがリークされる。
				ロシア人ゲオルギー・アヴァネソフを逮捕。数百万台の PC を乗っ取り 30 億通のスパムを毎日送信。レンタルで毎月 1300 万円稼ぐ。
				SpamIt 閉鎖。スパムメールが 20-40% 減少した。
				55 億通／1 日が配信されていた。
2011年3月				シマンテックの発表によると、約 10 億通／1 日まで減少した。Grum 、Rustock、Cutwail などのボットマスターは新しい儲けを模索する。
				Microsoft が Rustock をテイクダウン。推定 815,000 台の PC が感染していた。
				Microsoft は、Rustock のボットマスターに関する情報提供者に 2,500 万円の賞金を提供すると発表する。
				Google はアメリカ司法省に 500 億円の罰金を支払うことに同意した。フェイクネット薬局の広告を掲載した。AD ネットワーク、サーチエンジンも不正サイトにかかわることが莫大な罰金につながることが周知される。
2012年12月				ヴルレヴスキー逮捕、拘留される。
				ヴルレヴスキー仮釈放される。
2013年				スパマーが協力し、アンチスパム団体 Spamhaus への攻撃を行う。参加スパマーなどのサイトに Stophaus バナーが貼られる。
				ヴルレヴスキーに対する判決が出る。2 年半の有罪。
				スパム 67% 減少（カスペルスキーラボ調べ）した。
				第四四半期 70% のメールはスパム。850 億通のスパムが送られており、毎日 35 通のスパムを受け取っている計算になる。
				Microsoft、FBI、ヨーロッパ当局と ZeroAccess ボットネットをテイクダウンする。
2014年3月				Visa と MasterCard はロシアのトップ 2 銀行のクライアントとの取引を中止した。
				FBI と各国当局が Gameover Zeus ボットネットをテイクダウン。数百万台、100 億円以上を盗んだとされる。

の利益はおよそ6億円。ネット薬局からスパマーへの手数料は30～35%。当時のスパマーの純利益率は20%という推定もある。ネット薬局サイトは作ってはつぶしの繰り返しだったが、その分サーチエンジン対策も怠りなくBlackSEOと呼ばれるSEO（検索エンジン最適化）も発展した。特定の薬品の名前を検索すると、不正なネット薬局が上位に表示されるほどに洗練されていたらしい。

　この背景には当時のロシアには腕ききのIT技術者がよい報酬を得られる職場が少なかったこともある。アンダーグラウンド企業（表向きは普通の会社）の高額報酬は魅力的で多くの優秀な技術者がアンダーグラウンドに流れ、決済システム、スパム配信、ボットネット構築のためのマルウェアなどさまざまな技術が進展した。2008年に発見されて以来猛威を振るっている、Confickerは、ChronoPayと関わりがあったことがわかっているなど、多くのマルウェアは彼らのビジネスと関わりがあった。

　ここで、なぜ薬品関連のスパムがなぜあれほど増加したのかを説明しておきたい。理由は簡単。儲かるからである。スパムで薬品を告知すると薬は売れる。そして一度購入した顧客は継続して購入することが多い。

　スパムを発信して薬を売っているのはロシアもしくはその周辺だが、購入者の多くはアメリカ合衆国に住む人たちである。アメリカは皆保険制度ではなく、多くの人々は保険に加入しないでいざという時は高い医療費を払うか死ぬかを選択することになる。糖尿病など長期の病にはつらい。そんな時に、病院で処方されたのと同じ薬をはるかに安価に購入できると知ったら買ってみたくなる。買ってみて、それで効き目があるなら継続して購買する。しかも驚くべき

ことに、ネット薬局のカスタマーサポートはていねいかつ迅速。返金にもすぐ応じる。必要悪とまでいう顧客がいたくらいである。一定の確率で致命的な粗悪品もあるが（『スパムネイション』ではロシアンルーレットと呼んでいる）、価格とのトレードオフと割り切れる者は少なくない。

『スパムネイション』ではネット薬局の顧客の目的を、手頃な価格、利便性（医者に行かずとも入手できる、ED の薬も診察なしで手に入る）、ドラッグのような快楽目的、の 3 つに分類している。

とはいえ、これらのビジネスは必ずしも組織化されていたわけではないらしい。"Disorganized Cybercrime" と『スパムネイション』の中でも呼ばれている。産業として分化し、構造化されているものの、強い結びつきはないと指摘している。レジストラ、ホスティング、決済システム、マーケティングのように機能分化しているが、それぞれの業者の結びつきはゆるく、つねに条件のよい相手と組むようになっており、そこに固定的、組織的な関係はないのである。通常のビジネスよりもドライでゆるい関係なので動きやすい反面、ほころびができると収拾がつかない抗争に発展する危険もはらんでいた。（一田）

[関連用語]
　　ブライアン・クレブス　ボットネット
[参考]
　Spam Nation: The Inside Story of Organized Cybercrime-from
　　Global Epidemic to Your Front Door（2014 年 11 月 18 日、ブ
　　ライアン・クレブス）

ロシア連邦軍参謀本部情報総局（GRU）
ロシア発のサイバー攻撃の主体

　ロシア政府の諜報機関のひとつ。昨今では「数多くのサイバー攻撃の黒幕」であるとして西側から激しく非難されている。

　一昔前は「APT軍団といえば中国」というイメージで語られることが多かったが、数年前からはロシアや北朝鮮などの国々もAPT攻撃の強力な使い手として認識されるようになった。2016年の終盤には、アメリカ国土安全保障省（DHS）とFBIが「ロシアの悪意あるサイバー活動」を分析したレポート「グリズリー・ステップ」を公表。このレポートでは、世界中の国々に大規模な攻撃を仕掛けてきたことで知られるAPT28（別名Fancy Bear、現在ではGRUのAPT軍団だとほぼ断定されている）の脅威が解説された。

　それ以降は堰を切ったように、米英を中心とした複数の欧米国が「GRUによるサイバー攻撃」を次々と非難した。彼らの報告によれば、GRUの攻撃スタイルは偽旗作戦に特化しているようだ。たとえば彼らは、あえて他国のハッカーが愛用している攻撃ツールを拝借して攻撃に用いるなどの手法で、別の攻撃手になりすます。

　より単純な偽旗作戦の例として挙げられるのは、2015年に「Cyber Caliphate」を名乗るサイバー攻撃軍団がフランスのテレビ局を襲った事件だろう。このとき彼らは、乗っ取ったテレビ局のウェブサイトにジハードのメッセージを掲載した。のちの調査で、この攻撃はAPT28と結び付けられたのだが、その調査結果が発表されるまでの間は「ISISによるサイバー攻撃」だと誤解されていた。

また GRU は、あえてランサムウェアを用いることにより、自らの破壊的なサイバー攻撃を「単純な金銭目的」であるかのように偽ることもあると考えられている。世界中に甚大な被害を及ぼしたランサムウェア「NotPetya」も、現在ではロシア発の（おそらくは GRU による）攻撃だったとの見方が強い。（江添）

[関連用語]
　　ランサムウェア
[参考]

　　Russian spy agency GRU responsible for international cyberwar, UK government says（2018 年 10 月 4 日、Independent）
　　https://www.independent.co.uk/news/world/europe/russia-gru-sergei-skripal-hacking-cyber-war-donald-trump-elections-a8567356.html
　　A Brief History of Russian Hackers' Evolving False Flags（2019 年 10 月 21 日、WIRED）
　　https://www.wired.com/story/russian-hackers-false-flags-iran-fancy-bear/

530団（Unit 530）
韓国のネット世論操作部隊

　2011 年から 2012 年にかけて、民間の報道機関による政治関連のオンラインニュースに対し、「愛国心を促進するためのコメント投稿

作戦」を実行していた韓国のサイバー研究開発部隊。韓国の総選挙と大統領選挙が集中した 2012 年には、各団員に対して支払われる「コメント手当」も大幅に引き上げられていた。この 530 団による心理作戦は、韓国国家情報局（NIS）から特別活動予算の支援を受けた韓国軍サイバー司令部に指示されていたことが判明している。

　韓国軍サイバー司令部は、この作戦の実行前・実行後における世論の変化を、具体的な数値を使って大統領府へ報告していた。さらには補欠選挙の分析、デモ関連の動向、国内の有名人の SNS における活動動向なども直接的に報告していたことが伝えられている。これらの活動は、軍による政治査察・政治介入として国内で大きく非難された。

　530 団、および当時の韓国軍サイバー司令部の実態や活動を明らかにするための内部捜査は 2012 年から継続されており、近年でも新しい事実が続々と判明している。たとえば 2013 年の捜査では、530 団が「国防部」の予算で活動していたと報告されたが、2017 年の捜査によって「国情院が承認した予算だった」との追加報告が行われている。

　530 団が世論操作に利用したのは、ニュースサイトや SNS だけではない。彼らは「愛国心と軍隊への支援を促進する目的で設計されたゲーム」の開発にも関与していたと考えられている。この「独島防衛」と名付けられたゲームは、韓国で人気のある歴史上の人物（救国の英雄と呼ばれるイ・スンシン、女性独立活動家のユ・グァンスンなど）がキャラクターとして登場し、敵軍と銃撃戦を行うという内容のモバイルゲームで、2013 年 1 月に発売された。その開発費は約 1 億ウォン（1000 万円前後）だった。（江添）

[参考]

Investigation reveals that Cyber Command managed a private news outlet with NIS support（2017 年 9 月 28 日、The Hankyoreh）

http://english.hani.co.kr/arti/english_edition/e_national/812955.html

South Korea spy agency admits trying to rig 2012 presidential election（2017 年 8 月 4 日、The Guardian）

https://www.theguardian.com/world/2017/aug/04/south-koreas-spy-agency-admits-trying-rig-election-national-intelligence-service-2012

8200部隊
イスラエルのNSAと呼ばれる世界最強の諜報機関

8200 部隊はイスラエル国防軍の組織で、イスラエル参謀本部諜報局（Aman）の下部組織である。「イスラエルの NSA（国家安全保障局）」と呼ばれることもある世界最強の諜報機関のひとつである。

数千人が所属し、その情報収集能力は他のイスラエルの諜報機関（モサドなど）をはるかに凌駕する。特筆すべきはサイバー能力であり、アメリカとイスラエルがイランの核施設を攻撃した作戦（オリンピックゲーム）にも関わったと言われている（イスラエルは認めていない）。同作戦ではスタクスネット（Stuxnet）と呼ばれるマルウェアが用いられた。

メンバーには若い人が多く、除隊後、起業し、アメリカのナス

ダックで上場するなどシリコンバレーで活躍する人もいる。たとえばチェックポイント・ソフトウェア・テクノロジーズ、パロアルトネットワークス、NSO グループなどがそうである。ウェブ開発プラットフォームとして有名なウィックスの共同創業者にも 8200 部隊の元メンバーがいた。

　母体となる組織は独立前から存在していたが、8200 部隊として活動を開始したのは第 4 次中東戦争後だ。ただし、その活動の全貌はいまだに明らかにされていない。(一田)

[関連用語]
　　NSO グループ　SCADA　オリンピックゲーム作戦
[参考]
　　軍が起業家の揺りかご──イスラエル「8200 部隊」の秘密(前編)
　　　　(2017 年 3 月 7 日、フォーブスジャパン)
　　　　https://forbesjapan.com/articles/detail/15474
　　軍が起業家の揺りかご──イスラエル「8200 部隊」の秘密(後編)
　　　　(2017 年 3 月 8 日、フォーブスジャパン)
　　　　https://forbesjapan.com/articles/detail/15477
　　From The Israeli Army Unit 8200 To Silicon Valley (2015 年 3
　　　　月 15 日、TechCrunch)
　　　　https://techcrunch.com/2015/03/20/from-the-8200-to-
　　　　silicon-valley/
　　Unit 8200: Israel's cyber spy agency (2015 年 7 月 10 日、
　　　　Financial Times)
　　　　https://www.ft.com/content/69f150da-25b8-11e5-bd83-
　　　　71cb60e8f08c

DG7
自由主義圏のプロパガンダ組織

　DG7（Director General Meeting of International Broadcasters）とは、オーストラリア、フランス、ドイツ、日本、オランダ、イギリス、アメリカの７つの国の国営放送からなる組織であり、その目的は自由と民主主義を守ることである。そのために報道の自由などを守るための活動および国際間連携を行っている。ひらたく言うと西側のプロパガンダ組織のひとつである。ロシアのネット世論操作に対抗するための全欧安全保障協力会議（CSCE）の会合「The Scourge of Russian disinformation」の議事録にもその名前が登場している。

　日本では NHK が DG7 に参加しており、アメリカではボイス・オブ・アメリカ（VOA）やラジオ・フリー・ヨーロッパ／ラジオ・リバティーなどの放送局を運用するアメリカ放送理事会（旧 BBG）が参加している。2017 年には DG7 の会合が日本で行われた。（一田）

[参考]

　U.S. Agency for Global Media
　　https://www.usagm.gov
　平成 27（2015）年度 第 4 四半期業務報告
　"「5 つの重点方針」27 年度の達成状況　重点方針 2. 日本を世界に、積極的に発信 " に DG7 のホストを務めた記載がある。
　　https://www.nhk.or.jp/pr/keiei/quarter/pdf/27-004.pdf
　THE SCOURGE OF RUSSIAN DISINFORMATION

https://www.csce.gov/international-impact/events/
scourge-russian-disinformation

East Stratcom Task Force
ロシアのフェイクニュース対抗組織

　2015 年 4 月にロシアからのフェイクニュースを中心としたネット世論操作に対抗するために設置された EU 欧州対外行動局の組織。2017 年 9 月 12 日に、フェイクニュースを収集、検証するサイト EUvsDisinfo を開始した。（一田）

[関連用語]
　　欧州ハイブリッド脅威センター　ハイブリッド戦
　　クレムリンのトロイの木馬　フェイクニュース
[参考]
　　EU to counter Russian propaganda by promoting 'European
　　　values'
　　　https://www.theguardian.com/world/2015/jun/25/eu-
　　　russia-propaganda-ukraine
　　Don't be deceived: EU acts against fake news and
　　　disinformation
　　　https://eeas.europa.eu/headquarters/headquarters-
　　　homepage/32408/dont-be-deceived-eu-acts-against-fake-
　　　news-and-disinformation_en
　　EUvsDisinfo
　　　https://euvsdisinfo.eu

FIRST (Forum of Incident Response and Security Teams)
国際的なコンピュータセキュリティインシデント対応組織

　世界的な事件になった最初のマルウェアである「モリスワーム」は当時世界でネットワークに接続されていたコンピュータの 10%に感染し、多大な被害を与えた。また、こうした大規模なインシデントは初めてだったということもあり、対処は思うように進まず、協業もうまくできなかった。この事件の後に続々とコンピュータセキュリティインシデント対応チーム（CSIRT）が作られた。

　1989 年に WANK ワームが猛威を振るい、より効果的な対処が必要になり、1990 年に世界的な組織 FIRST が発足した。

　2019 年の段階で 503 のチームが FIRST に参加している。地域別で見るともっとも多いのはヨーロッパと北アメリカで全体の 64%を占める。

　技術情報やツール、方法論、ベストプラクティスの開発と共有を始めとして知見や技術を結びつけ、より安全な環境を実現することを目指している。なお、米中貿易戦争の影響でファーウェイの会員資格が停止される事態も起きている。（一田）

[関連用語]
　　JPCERT コーディネーションセンター
[参考]
　　FIRST（Forum of Incident Response and Security Teams）
　　　https://www.first.org

Intrusion Truth
中国を狙い撃ちする正体不明の凄腕ハッカー

　Intrusion Truth は中国政府のハッキンググループの正体を暴いている謎のハッカー集団である。これまでターゲットになったのは APT3、APT10、APT17 である。ハッキング集団の組織名、個人名、住所までを特定し、写真までもさらしている。

　高度なハッキング技術に加えて語学などにも堪能と見られている。（一田）

[参考]

　　Cyberespionage Experts Want to Know Who's Exposing China's Hacking Army（2018 年 10 月 2 日、THE　WALL STREET JOURNAL）

　　　https://www.wsj.com/articles/cyberespionage-experts-want-to-know-whos-exposing-chinas-hacking-army-1538478001

　　Intrusion Truth？入侵真相（ブログ）

　　　https://intrusiontruth.wordpress.com

　　ツイッターアカウント　@intrusion_truth

JPCERTコーディネーションセンター
コンピュータインシデントに対応するチーム

　正式名称は、一般社団法人 JPCERT コーディネーションセンター。同組織のウェブサイトには、「JPCERT コーディネーションセンター（JPCERT/CC）は、インターネットを介して発生する侵入やサービス妨害等のコンピュータセキュリティインシデント（以下、インシデント）について、日本国内に関するインシデント等の報告の受け付け、対応の支援、発生状況の把握、手口の分析、再発防止のための対策の検討や助言などを、技術的な立場から行なっています」と書かれている。

　世界的なコンピュータセキュリティインシデント対応チーム（CSIRT）の協力組織である FIRST に日本で最初に参加した。

　1992 年からボランティアベースでの活動を開始し、1996 年 10 月に JPCERT/CC として発足する。その後、1998 年 8 月に FIRST に参加した。2003 年 3 月に中間法人として登記、2009 年 6 月一般社団法人に変更。

　JPCERT/CC の伊藤友里恵、山口英、小宮山功一朗らは FIRST の理事を務めた。

　アジア太平洋コンピュータ緊急対応チーム（APCERT）フォーラムや日本コンピュータセキュリティインシデント対応チーム協議会の事務局を行っており、日本のサイバーセキュリティを担う重要な組織のひとつと言える。（一田）

[関連用語]
　　FIRST　山口英
[参考]
　　一般社団法人 JPCERT コーディネーションセンター
　　https://www.jpcert.or.jp

NSOグループ
世界で活躍するイスラエルのサイバー軍需企業

　NSO グループ（NSO Group/Q Cyber Technologies）はイスラエルのサイバー軍需企業でガバメントウェアあるいはリーガルマルウェアとして使うためのスパイウェアを提供している。おそらく現在世界で最も有名なサイバー軍需企業のひとつと言える。Pegasus spyware というモバイルをターゲットとしたスパイウェアが主力商品である。これまで iPhone や WhatsApp などの脆弱性を利用していたことが暴露されている。

　同社はイスラエルの 8200 部隊の元メンバーらによって設立された。8200 部隊は「イスラエルの NSA」とも呼ばれる軍の諜報機関であり、サイバー空間を通じて国内外への諜報活動を行っている。同社の売上は 2015 年の時点でおよそ 80 億円程度と推定される。これまで何度か買収されており、2019 年の段階で創業者がファンドの協力を得て買い戻した際の推定時価総額はおよそ 1000 億円だった。

2019 年 3 月のシチズンラボのレポート「NSO グループのスパイウェアの標的にされ、カルテルに暗殺されたジャーナリストの妻（Reckless VII Wife of Journalist Slain in Cartel-Linked Killing Targeted with NSO Group's Spyware）」によると、暗殺されたメキシコのジャーナリストは同社のマルウェアで監視されていたことがわかっている。また、記事の時点では、メディア、医療、法執行、政府、汚職対策、国際捜査関係者 25 人が監視対象となっていた。サウジアラビアで暗殺されたジャーナリストも同社のマルウェアに感染していたこともわかっている。

　2018 年 9 月のシチズンラボのレポートによれば、45 カ国で同社の製品が使用され、他国に対して用いられていたケースは 10 あったという。

　2019 年に入ると、同社を調査していたシチズンラボに対して、民間のスパイ代行業者を使って工作を仕掛けようとした疑いも持たれている。（一田）

[関連用語]
　ネット世論操作産業　サイバー軍需産業、企業
　ガバメントウェア　8200 部隊　シチズンラボ
[参考]

　Everything We Know About NSO Group: The Professional Spies Who Hacked iPhones With A Single Text（2016 年 8 月 25 日、Forbes）
　https://www.forbes.com/sites/thomasbrewster/2016/08/25/everything-we-know-about-nso-group-the-professional-spies-who-hacked-iphones-with-a-single-text/

Shadow Wars: In Missions Stretching From Iran To Syria, Israel's Unit 8200 Can Be (Not) Seen (2016 年 5 月 11 日、Forbes)
https://www.forbes.com/sites/richardbehar/2016/05/11/shadow-wars-in-missions-stretching-from-iran-to-syria-israels-unit-8200-can-be-not-seen/

Secretive cyber warfare firm NSO Group explores sale: sources (2015 年 11 月 3 日、ロイター)
https://www.reuters.com/article/us-nsogroup-m-a-idUSKCN0SR2JF20151103

Israeli Cyberattack Firm NSO Bought Back by Founders at $1b Company Value (2019 年 2 月 14 日、Haaretz Daily Newspaper、https://www.haaretz.com/israel-news/business/.premium-israeli-cyberattack-firm-nso-bought-back-by-founders-at-1b-company-value-1.6937457)

スパイ代行業者に狙われた権力監視機関シチズンラボ (2019 年 2 月 5 日、Scannetsecurity、https://scan.netsecurity.ne.jp/article/2019/02/05/41924.html)

事件の背景 世界に広がるサイバー軍需産業 NSO グループと BlackCube (2019 年 2 月 6 日、Scannetsecurity、https://scan.netsecurity.ne.jp/article/2019/02/06/41930.html)

シチズンラボの NSO グループ関連記事
https://citizenlab.ca/tag/nso-group/

米ワッツアップがイスラエル NSO を提訴、世界的なハッキング巡り (2019 年 10 月 31 日、ロイター、https://jp.reuters.com/article/whatsapp-nso-lawsuit-idJPKBN1X901I)

RTとスプートニク
世界に展開するロシアのプロパガンダ媒体

　RTとスプートニクはロシアのプロパガンダ媒体として有名である。各国語版があり、世界に展開している。イデオロギーとはかかわりなく敵対する諸国に対して混乱を起こすことを目的に活動している。具体的にはフェイクニュースおよびヘイト、偏った情報の流布を行っている。

　RTは2005年に設立されたテレビネットワークであり、当時はロシア・トゥデイという名称だったが、その後アメリカに進出するに当たり、大手広告代理店マッキャン・エリクソンにキャンペーンを依頼し、その一環としてRTという名前に改名した（「RT, Sputnik and Russia's New Theory of War」）。ロシア語、英語、スペイン語、フランス語、ドイツ語、アラビア語版がある。予算は約3.2億ドル。トークショー番組のホストとして著名なラリー・キングを招聘して番組を放送した。

　ウィキリークス創始者のジュリアン・アサンジがイギリスのエクアドル大使館に匿われている間に、彼をホストにした「ジュリアン・アサンジ・ショー（The World Tomorrow）」を2012年4月から12回放送した。毎回、ネットを介してゲストと語り合う行うトークショー形式であり、反米、反欧米、反マスコミについて語ることが多かった。

　スプートニクはニュースメディアで2014年11月にRIAノヴォースチと「ロシアの声」を統合して発足した。英語、スペイン

語、アブハズ語、アラビア語、アルメニア語、アゼルバイジャン語、ベラルーシ語、ポルトガル語、中国語、チェコ語、ダリー語、ドイツ語、エストニア語、フランス語、グルジア語、ギリシャ語、イタリア語、日本語、カザフ語、キルギス語、ラトビア語、リトアニア語で提供されている。一般的なニュースも流すものの、そのミッションはロシアからのフェイクニュースを含む、プロパガンダである。

このふたつはロシアのハイブリッド戦における武器として活用されている。日本でもスプートニクの記事をプロパガンダ記事あるいはフェイクニュースと知らずに SNS で引用、拡散する人がいる。

（一田）

[関連用語]

ネット世論操作　フェイクニュース　ジュリアン・アサンジ
ハイブリッド戦　クレムリンのトロイの木馬

[参考]

RT　https://www.rt.com

スプートニク日本語版　https://jp.sputniknews.com

RT, Sputnik and Russia's New Theory of War（2017 年 9 月 13
日、ニューヨーク・タイムズ）

https://www.nytimes.com/2017/09/13/magazine/rt-
sputnik-and-russias-new-theory-of-war.html

What Is RT?（2017 年 3 月 8 日、ニューヨークタイムズ）

https://www.nytimes.com/2017/03/08/world/europe/
what-is-rt.html

名称

インターネットの自由度
ネットの自由度についての世界的な尺度

　世界各国の「オンラインの自由度」に関する専門家たちの調査結果を示した報告書。自由と民主主義の監視を目的とするアメリカ拠点の国際 NGO 人権団体「フリーダムハウス」が毎年発表している。それぞれの調査対象国には叙述レポートとスコアが記されており、その数値は主に「アクセスそのものに対する障害」「コンテンツの制限」「ユーザー個人に対する人権侵害」の三つに基づいて測定される。

　このスコアを降順に並べるとランキング形式で表示することもできるため、日本のメディアでは「インターネットの自由度ランキング」として取り上げられることも多いが、同報告書は国際的な傾向や概要、新たな脅威の分析にも取り組んでいる。また各国の分析結果は、昨今の国内で起きた事件や傾向も詳細に報告している。この報告書のパイロット版が初めて公開されたのは 2009 年。そこから 9 年連続で、世界中のインターネットの自由を示す数値は減少を続けてきた。

　国ごとの自由度は「自由（スコア 70 - 100）」「部分的に自由（スコア 40 - 69）」「自由ではない（スコア 0 - 39）」の大まかな 3 段

階に分けられる。ちなみに日本は自由度のスコアを落としつつある
ものの、まだ「自由」と判定されている（2019年現在で12位）。

　昨今のフリーダムハウスはデジタル権威主義を懸念しており、と
りわけ「権威主義的な圧力によるソーシャルメディアの悪用」につ
いて警鐘を鳴らしている。2019年版は「ここで取り上げた65ヵ国
中35ヵ国の政治的指導者たちが、ひそかに個人を雇って『オンラ
インのオピニオン』を形成していた」と報告した。また、多くの国
におけるポピュリズムや極右過激主義の躍進は、その思想を示した
「本当のユーザーのアカウント」と「不正な（あるいは自動化され
た）アカウント」によるオンラインユーザーの増加に呼応している
と指摘し、彼らは大勢の聴衆を集め、虚偽的なコンテンツや先導的
な書き込みで政治的なメッセージを複数のプラットフォームに普及
させている、と伝えた。

　なおフリーダムハウスは「報道の自由（Freedom of the Press）」
というタイトルの報告書も発表しており、そこには国ごとのランキ
ングも掲載されているのだが、日本国内のメディアで話題にのぼり
やすい「世界報道自由度ランキング」を発表しているのは国境なき
記者団である。少々紛らわしいので記しておきたい。（江添）

［参考］

　Freedom House
　　https://freedomhouse.org/

クレムリンのトロイの木馬
ロシアがヨーロッパで繰り広げるハイブリッド戦を暴いた三部作

「The Kremlin's Trojan Horses（クレムリンのトロイの木馬）」は、2016年から2019年の3年にわたって公開されたアメリカのシンクタンク大西洋評議会のレポートである。ロシアの対ヨーロッパ・ハイブリッド脅威に関するレポートが地域別に毎年公開された。ネット世論操作に留まらず、ロシア正教会の関与、ロシアンマフィア、ヨーロッパの政党への政治献金など多岐にわたって非軍事行動による干渉をまとめている。ハイブリッド脅威の実態を学ぶための貴重な資料であり、この分野の関係者にとって必読のものとなっている。

2016年の最初のレポートではフランス、ドイツ、イギリスを中心にまとめられている。ブレグジット、フランス大統領選、ドイツの政党 AfD（ドイツのための選択肢）へのメディアの支援を中心に分析していた。

2017年のレポートでは、ヨーロッパの南部、スペイン、イタリア、ギリシャの状況が中心だった。イタリアでは2つの極右で親ロシアの同盟と5つ星運動を取り上げた。この2つの政党によりイタリアで連立政権が誕生し、反 EU を掲げ、ロシアに対する EU によるロシア制裁にも反対している。ギリシャではマケドニア問題にフェイクニュースで干渉し、事態を膠着させた。スペインはロシアのネット世論操作に対して脆弱とされた。

2018年の最終レポートでは北欧を中心にまとめられていた。ス

ウェーデン、ノルウェー、デンマーク、オランダなどを取り上げ、その中でスウェーデンがもっとも影響を受けているとしていた。

　一連のレポートによって明らかになったのは民主主義そのものの弱点が暴かれたことだと言ってもよい。最終レポートの中で、民主主義を標榜する国は、不都合な真実と向き合う必要があると述べている。課題は大きく２つある。

●民主主義の原則である公開性、透明性、多様性は重要な価値であると同時に脆弱性であることが明らかになった。
●民主主義国の中にもロシアの戦略を支持し、支援する個人、組織、政党が存在した。多くはその地で生まれた極右か極左だ。ロシア支持者は中道派の中にも少数いることがあり、現役あるいは元政府関係者にもロシアの見解に親近感を持つ人や、ロシアとの関係でなんらかの便益を得ている人もいることがある。（一田）

[関連用語]
　　ネット世論操作産業　ハイブリッド戦
　　インターネット・リサーチ・エージェンシー（IRA）
[参考]
　　The Kremlin's Trojan Horses
　　　　https://www.atlanticcouncil.org/in-depth-research-
　　　　reports/report/kremlin-trojan-horses/
　　The Kremlin's Trojan Horses2.0
　　　　https://www.atlanticcouncil.org/in-depth-research-
　　　　reports/report/the-kremlin-s-trojan-horses-2-0/
　　The Kremlin's Trojan Horses3.0

https://www.atlanticcouncil.org/in-depth-research-reports/report/the-kremlins-trojan-horses-3-0/
ロシアの世論操作を暴く米シンクタンク報告「THE KREMLIN'S TROJAN HORSES 3.0」を読み解く（2019 年 2 月 9 日、ハーバービジネスオンライン）
https://hbol.jp/185416

シルクロード（Silk Road）
薬物のeBayと呼ばれた世界有数のダークウェブサービス

　かつて「薬物の eBay」とも呼ばれた悪名高き秘匿サービス。違法な薬物をダークウェブで売買できるプラットフォームとして絶大な人気を誇っていた。2011 年初旬に開設され、2013 年 10 月に閉鎖されるまでの間、少なくとも 120 万件以上の取引が行われていたと確認されている。

　シルクロードにアクセスする際、ユーザーは Tor を介して通信しなければならず、さらに同サイトで利用できる通貨はビットコインに限られていたため、法執行機関がユーザーの特定を行うことは極めて困難だった。

　また出品者（薬物の売人）の評価システムが採用されていたため、詐欺行為を行うディーラーは淘汰されるようになっており、購入者にとっては「どんな違法ドラッグでも安心して購入できるマーケットサイト」だと信頼されていた。

　シルクロードを牛耳った人物として FBI に逮捕されたのは、テキ

サス在住の青年ロス・ウィリアム・ウルブリヒト（当時29歳）だった。「同サイトの開設には携わったが、運営には関与していない」と無罪を主張しつづけたウルブリヒトの裁判は、多くの人々を巻き込んだものとなり、そこで注目される話題も二転三転した。現在のウルブリヒトには終身刑が言い渡されており、その控訴は棄却されている。

　史上最悪のダークウェブ市場として知られたシルクロードが閉鎖してからも、ダークウェブには類似した複数の違法マーケットプレイスが登場した。その中で最大手となったものは「シルクロードにとってかわるサービス」と呼ばれることもあった。たとえば2017年、国際的なテイクダウン作戦によって閉鎖されたAlphaBayは、シルクロードよりもユーザー数や取引数の規模がはるかに大きかった。

　しかしシルクロードはいくつかの点で、それらの後発サイトとは一線を画していると言えるだろう。たとえばシルクロードは、当時まだメジャーではなかったビットコインの知名度を大幅に上げ、その利用者数も急増させた。もしもシルクロードが存在していなかったら、ビットコインが現在のような最大手の仮想通貨になることはなかったかもしれない。（江添）

[関連用語]

　　ダークウェブ

[参考]

　　『闇ウェブ』（2016年7月21日、文春新書）
　　史上最悪の闇サイト「Silk Road」黒幕裁判（1）（2015年1月28日、
　　　THE ZERO/ONE）

郵 便 は が き

1 6 0 - 8 7 9 1

3 4 3

料金受取人払郵便

新宿局承認

1993

差出有効期限
2021年9月
30日まで

切手をはら
ずにお出し
下さい

原書房
読者係 行

（受取人）
東京都新宿区
新宿一ー二五一二三

‖‖‖·‖·‖‖‖‖‖‖·‖‖·‖‖·‖·‖·‖·‖·‖·‖·‖·‖·‖·‖·‖·‖·‖·‖‖‖‖‖

1 6 0 8 7 9 1 3 4 3   7

図書注文書 (当社刊行物のご注文にご利用下さい)

書　　　　名	本体価格	申込数
		部
		部
		部

お名前		注文日　　年　　月　　日	
ご連絡先電話番号 （必ずご記入ください）	□自　宅　（　　　）		
	□勤務先　（　　　）		

ご指定書店（地区　　　　）	お買つけの書店名 をご記入下さい	帳
書店名　　　　　書店（　　　　店）		合

5744
新しい世界を生きるためのサイバー社会用語集

愛読者カード　一田和樹／江添佳代子 著

＊より良い出版の参考のために、以下のアンケートにご協力をお願いします。＊但し、今後あなたの個人情報（住所・氏名・電話・メールなど）を使って、原書房のご案内などを送って欲しくないという方は、右の□に×印を付けてください。　　　　□

フリガナ
お名前　　　　　　　　　　　　　　　　　　　　　　男・女（　　歳）

ご住所　〒　　　　　－

　　　　　市　　　　　　　町
　　　　　郡　　　　　　　村
　　　　　　　　　　　　　TEL　　　　（　　　　）
　　　　　　　　　　　　　e-mail　　　　　　　　@

ご職業　1 会社員　2 自営業　3 公務員　4 教育関係
　　　　　5 学生　6 主婦　7 その他（　　　　　　　　　　）

お買い求めのポイント
　　　　　1 テーマに興味があった　2 内容がおもしろそうだった
　　　　　3 タイトル　4 表紙デザイン　5 著者　6 帯の文句
　　　　　7 広告を見て（新聞名・雑誌名　　　　　　　　　　）
　　　　　8 書評を読んで（新聞名・雑誌名　　　　　　　　　）
　　　　　9 その他（　　　　　　　　　）

お好きな本のジャンル
　　　　　1 ミステリー・エンターテインメント
　　　　　2 その他の小説・エッセイ　3 ノンフィクション
　　　　　4 人文・歴史　その他（5 天声人語　6 軍事　7　　　　　）

ご購読新聞雑誌

本書への感想、また読んでみたい作家、テーマなどございましたらお聞かせください。

https://the01.jp/p000125/

AlphaBay 消滅後のダークマーケットはどうなる？（2）（2017 年 7 月 24 日、THE ZERO/ONE）
https://the01.jp/p0005427/

スティングレイ
最大1万台の携帯端末の追跡と盗聴が可能な FBIの秘密兵器

　フロリダのハリス社が開発した「携帯端末の追跡と盗聴を可能とする装置」の製品名。携帯電話の通信基地局になりすますことができる。もともと軍事目的で開発された諜報活動用装置だったが、現在では法執行機関が捜査目的で広く導入するツールとなっている。標準タイプの「スティングレイⅡ」の価格は 13 万 5000 ドル（約1350 万円）程度。基本的には車両に搭載することを前提とした商品だが、手持ちで運べる「キングフィッシュ」と名付けられた小型モデルもある（ただし、どのモデルの商品も大まかに「スティングレイ」と呼ばれることが多い）。

　この装置が起動されると、周辺に存在する全ての携帯端末は、持ち主が契約している通信事業者との接続を中断して「すぐ近くで強力な電波を発している基地局（のふりをしたスティングレイ）」に接続してしまう。法執行機関は、この強制接続を通して携帯端末のID 情報を一斉に収集したのちに「どの携帯端末を監視対象とするのか」を特定し、標的の GSM 通信を盗聴できる。また、その携帯端

末の現在地を詳細まで割り出すこともできる。

　アメリカ自由人権協会（ACLU）をはじめとした多くの人権団体は、「一定のエリアに存在するすべての携帯電話（最大で1万台が影響を受けるとの報告もある）に対し、無差別な地引き網型の捜査を必ず生み出してしまうスティングレイの性質」を強く問題視しており、は米国憲法の修正第4条（「合理的な理由が裁判所の令状に記載されていないかぎり、アメリカ国民には捜索、逮捕、押収を受けない権利がある」）に違反すると訴えている。

　アメリカは遅くとも2007年から捜査目的でスティングレイを利用しており、またFBIは「スティングレイと同様の機能を持った盗聴装置」を1995年以前から利用していたことが確認されている。しかしスティングレイは持ち主に気付かれぬまま情報を収集できるため、2012年にダニエル・リグメイデンが裁判を起こすまでの間、その装置の存在や捜査の手法は市民に知られていなかった。

　現在のところ、アメリカ、イギリス、カナダ、オーストラリアなどの国々でスティングレイの利用が認められており、またスティングレイの存在と利用を隠している国も多数存在するものと考えられている。米ボルチモア警察では2007年以降、少なくとも4300回以上スティングレイを秘密裏に利用してきたことが確認された。（江添）

[関連用語]
　　ダニエル・リグメイデン　アメリカ自由人権協会（ACLU）
[参考]
　　ACLU v. DOJ（StingRays）（2016年1月13日、ACLU）
　　　https://www.aclunc.org/our-work/legal-docket/aclu-v-

doj-stingrays

The Secret Surveillance Catalogue (The Intercept)
    https://theintercept.com/surveillance-catalogue/
STOP STINGREY SURVEILLACE (BCCLA)
    https://stopstingrays.org/
British Companies Are Selling Advanced Spy Tech to
    Authoritarian Regimes (2016 年 8 月 26 日、VICE)
    https://www.vice.com/en_us/article/4xaq4m/the-uk-
    companies-exporting-interception-tech-around-the-world

タリン・マニュアル
サイバー戦と法律に関する資料

　エストニアの首都、タリンに設置された NATO のサイバー防衛セ
ンター（CCDCOE）が発表している書物。

　CCDCOE 自身のウェブサイトは、このタリン・マニュアルを「サ
イバー空間で既存の国際法がどのように適用されるのかを分析し
た、最も包括的な書物」だと説明している。

　あえて大まかに表現するなら「すでに存在しているさまざまな
国際法」と「サイバー戦争」との関係性を専門家たちが研究し、
その結果をまとめたものだ。あくまでも書物なので、Amazon や
cambridge.org などでも簡単に購入できる。

　つまり、タリン・マニュアル自体はジュネーヴ条約のような効力を
持たないため、サイバー戦のルールブックと呼ぶことはできない。
そもそも、サイバー戦争について考えるときに決して外すことので

きないロシアや中国から国際的合意を得ているわけでもないので、何らかの効力があったとしてもあまり意味はなさそうだ。

　それでも、サイバー問題に関わる政策アドバイザーや法律専門家にとっては非常に影響力が大きく、国際法の遵守について考える際のガイドラインに近い存在となっている。たとえば、国家がサイバー攻撃を受けた際のアトリビューションについて、あるいはアクティブな防衛行為について、現存の国際法がどのように適用されるのかを知ることができる。より露骨に言うなら、彼らにはタリン・マニュアル以外に頼れるものがほとんどないだろう。

　タリン・マニュアルが初めて発表されたのは 2013 年だった。この初版の「タリン・マニュアル 1.0」は、いわゆるサイバー戦争の活動（たとえば軍事力や自衛に関わる行為）に対し、既存の国際法がどのように適用されるのかという部分に焦点を当てていた。一方、2017 年に発表された「タリン・マニュアル 2.0」では、サイバー戦争には及ばない範囲の、より一般的に起こりうるサイバー活動と既存の国際法についても分析されている。（江添）

［関連用語］
　　ハイブリッド戦
［参考］
　　Tallinn Manual 2.0（CCDCOE)
　　　https://ccdcoe.org/research/tallinn-manual/
　　NATO nations 'will respond to a Cyber attack on one as
　　　though it were on all'（2014 年 9 月 3 日、The Register)
　　　http://www.theregister.co.uk/2014/09/03/nato_article_v_
　　　mutual_defence_principle_applies_to_cyberspace/

NATO presents the Tallinn Manual 2.0 on International Law Applicable to cyberspace（2017 年 2 月 5 日、Security Affairs）https://securityaffairs.co/wordpress/56004/cyber-warfare-2/nato-tallinn-manual-2-0.html

『超限戦』
1999年に公開された中国発新しい戦争の形

　『超限戦』は 1999 年に中国の軍人、喬良と王湘穂が執筆した戦略書である。本書の最大の特徴は新しい戦争の形として現在のハイブリッド戦のようなものを提示した点にある。経済、法律、思想などあらゆるものを用いた戦争が行われるようになるとしている。当然、サイバー戦についても言及されている。

　『超限戦』にはハイブリッド戦にはない重要な要素も含まれている。たとえばあらゆるレベルにおいて戦争が行われるという指摘だ。従来の戦争は国家対国家であったが、新しい戦争は国家対企業、国家対テロリストといった従来の枠組みではない戦争が始まるとしている。

　本書の中で具体的にアルカイダの名前を挙げて、今後アメリカに対して戦争を仕掛ける可能性を指摘していたため、9.11 アメリカ同時多発テロ事件を予言したとして話題になった。

　21 世紀における戦争を考える上で欠かせない 1 冊であるが、日本では 2001 年に共同通信社が邦訳を刊行したきりだった。そのため 1 冊数万円の価格で取引される事態となっているが、2020 年 1

月に角川新書で新たに刊行され、10 日後に増刷、さらに 1 カ月を待たずに 4 刷となった。

　なお、中国語版と英語版はずっと入手可能であった。刊行 10 年後に記念版が刊行されたが、中国語版のみのようである。（一田）

［関連用語］
　　ハイブリッド戦　チャイナモデル
［参考］
　　『超限戦』（2020 年 1 月 10 日、角川新書）

ファイブ・アイズ (Five Eyes)
アメリカ・イギリス・カナダ・オーストラリア・ニュージーランドの国際諜報同盟

　アメリカ・イギリス・カナダ・オーストラリア・ニュージーランドの 5 カ国で構成されている国際諜報同盟。全世界の国々の通信を監視している国際的監視網として知られている。もともと 1940 年代に米英の間で結ばれていた秘密条約に、カナダ、オーストラリア、ニュージーランドの 3 カ国（いずれも英連邦王国）が同盟国として加わった。スノーデンの公開した文書や、その後のウィキリークスが公開した文書によれば、ファイブ・アイズは世界中の政治家や高官、インフラ企業、IT 企業、金融企業、航空会社、教育機関などを盗聴し、その情報を 5 ヵ国で共有しており、また「自国の一般市民の情報」も共有していた。

日本では2006年から2007年にかけての第1次安倍内閣、三菱商事の天然ガス部門、三井物産の石油部門、日銀などがNSAに盗聴され、さらにいくつかの情報がニュージーランドの諜報機関「保安情報局」（SIS）に盗聴されており、それらの情報はファイブ・アイズに提供されていた。なお、NSAによる日本の盗聴については2015年8月、オバマ大統領が安倍首相に謝罪している。

　ファイブ・アイズは表面上、多くの国を「仲間」と見なしており、フランスやドイツなどの欧州の先進国、日本、韓国、シンガポールなどアジアの国々も「パートナー」と呼んでいる。しかし現実的には、それらの国の通信を盗聴しては「本当の仲間」だけでシェアしていたということになる。なお、この5カ国のメンバーは、およそ60年前から変化していない。（江添）

[参考]

カナダが「Five Eyes」間データ共有を一部中止（前編）　注目と非難が集まる国際諜報同盟とは
https://the01.jp/p0001904/

プレイペン
FBIの強引な捜査で摘発された世界最大級の児童ポルノの秘匿サービス

　FBIが「世界最大級の児童ポルノの秘匿サービスのひとつ」と説明したダークウェブの違法サイト。Torを利用した匿名通信で、違

法の児童ポルノにアクセスできるサービスとして知られた同サイトは、2014年8月の開設からわずか一ヵ月で6万人の会員を集め、翌年には21万5000人近くの会員数を誇る有名サイトに成長したが、FBIによって2015年の夏に閉鎖された。

　FBIの証言によれば、そこに存在していた11万7000点以上のコンテンツの多くは「想像しうるかぎりで最も過激な類いの児童虐待の画像・動画」で、その他にも「児童虐待の罪を犯す者がオンラインで検挙されるのを避けるためのアドバイス」などが掲載されていた。このサイトの閉鎖に向けた捜査は、ダークネットの児童虐待サイトを対象としてFBIが実施した大掛かりな作戦、オペレーション・パシファイアの一環だったとされている。

　この作戦にはNIT（Network Investigative Technique）のマルウェアが使われた。これは閲覧したユーザーのPCの制御を乗っ取り、Torを迂回して、FBIの制御するサーバへユーザーの情報を直に送らせる技術だ。プレイペンのサーバを確認したときのFBIは、閲覧者のPCをNITのマルウェアに感染させるため、それをすぐには閉鎖せず、サイトをそっくりそのままFBIのサーバへ移し、二週間に渡ってプレイペンを運営した（つまり児童虐待のコンテンツを配信しつづけた）。この手法は、匿名通信で法を犯すユーザーの特定に有効だが、同時に「大量の一般市民の端末へ侵入できる技術」でもあるため、それを捜査令状なしで闇雲に用いることの危険性については多くの人権団体や弁護士が警鐘を鳴らしている。

　プレイペンを利用したユーザーの検挙数は、これまでのところ約250人に上っている。一般的には、オンラインで児童虐待に勤しんでいたペドフィリアたちが逮捕された事件として認知されたが、セ

キュリティ界では「匿名通信の世界で大勢のユーザーが一度に特定された事件」「FBIが罠を仕掛けるために違法サイトを一時的に所有して運営した事件」「FBIが未曾有の規模でユーザーの端末をマルウェアに感染させた事件」としても大きな注目を集めた。(江添)

[関連用語]
　ディープウェブ
[参考]

The FBI's 'Unprecedented' Hacking Campaign Targeted Over a Thousand Computers (2016年1月5日、VICE)
https://motherboard.vice.com/en_us/article/the-FBIs-unprecedented-hacking-campaign-targeted-over-a-thousand-computers

FBI's search for 'Mo,' suspect in bomb threats, highlights use of malware for surveillance (2013年12月6日、The Washington Post)
https://www.washingtonpost.com/business/technology/2013/12/06/352ba174-5397-11e3-9e2c-e1d01116fd98_story.html

25 Investigates: Local challenge to FBI use of child porn site could have national impact (2018年8月2日、Boston25NEWS)
https://www.boston25news.com/news/25-investigates-local-challenge-to-fbi-use-of-child-porn-site-could-have-national-impact/804537637/

Federal Court: The Fourth Amendment Does Not Protect Your Home Computer (2016年6月23日、EFF)
https://www.eff.org/deeplinks/2016/06/federal-court-fourth-amendment-does-not-protect-your-home-computer

Williamsburg Man Sentenced to Prison for Child Pornography
（2017 年 7 月 30 日、U.S. Attorneys Eastern District of
Virginia）
https://www.justice.gov/usao-edva/pr/williamsburg-man-
sentenced-prison-child-pornography

FBIの監視用ソフトウェア
（CIPAV、オムニボー、カーニボー、ドラゴンウェアスイート、サイバーナイト、マジック・ランタン等）
FBIが使うリーガルマルウェア、ガバメントウェア

　FBI の盗聴、監視のためのソフトウェアの名称。ガバメントウェ
ア、リーガルマルウェアの一種とも言える。FBI はこれらのソフト
ウェアを利用し、狙った相手の情報を盗み出したり、行動を追跡し
たりしていた。（一田）

［関連用語］
　　ガバメントウェア　ネット世論操作産業
　　データ傍受技術ユニット（DITU）
［参考］
　　『犯罪「事前」捜査』（2017 年 8 月 10 日、一田和樹、江添佳代子、角
　　川新書）
　　『@War:The Rise of the Military-Internet Complex』（2014 年 11
　　月 11 日、Shane Harris、Eamon Dolan / Houghton Mifflin
　　Harcourt ）

PRISM（プリズム）
NSAの大規模監視プログラム

　PRISM（プリズム）は 2007 年からアメリカ国家安全保障局（NSA）が開発、運用している監視プログラムの名称である。諜報対象識別（SIGAD）は US-984XN。エドワード・スノーデンの暴露によって、その存在と内容が明らかになった。マイクロソフト、グーグル、Yahoo!、フェイスブック、Apple、AOL、スカイプ、YouTube、PalTalk の 9 つのネットサービスからコンテンツとメタデータを収集していた。対象はアメリカ国内外であり、同盟国の政府機関もその対象となっていた。暴露されると同時に世界的なスキャンダルとなった。

　フレッド・キャプラン『Dark Territory』によると、当時の大統領だったオバマは調査するためにブルーリボン委員会を指名した（ブルーリボン委員会は核に関することだけのようになってるが、必ずしもそうではなく、著名な学識経験者を集めた第三者委員会を指すらしい）。その委員が五人だったことから、彼らは五人委員会（Five Guys）と呼ばれた。委員会は PRISM が実験でしかなく役にたっていなかったと結論した。当初、54 のケースでテロリストの発見に役だったと NSA は語ったが、それは PRISM のおかげではなく NSAの通常の活動のおかげだったと判明した。さらに PRISM の予算が削減されていたことも、役に立たないと考えていた証拠とされた。もし PRISM が有効と考えていたなら、もっと予算をつぎ込んだはずだと委員会は考えた。（一田）

[参考]

> 米当局が市民の通話記録を大量収集、大手9社のネット監視も（2103
> 年6月7日）
> https://www.afpbb.com/articles/-/2948674
> 『Dark Territory: The Secret History of Cyber War』（2016年3
> 月1日、Fred Kaplan 、Simon & Schuster ）

SCADA
狙われやすい脆弱な産業用監視制御システム

　産業用監視制御システムのひとつ。世界中の発電所、空港、工場、刑務所、インフラ、その他の重要な施設で最も広く用いられている。インターネットやイントラネットへ接続する機会が増えたことにより、「サイバー攻撃に対するSCADAの脆弱性」が繰り返し指摘されるようになって久しい。

　それが極めて危険だという指摘を軽視してしまう現場が多いのか、あるいは「常に動作を続けなければならない施設の制御システム」ではセキュリティ問題を黙認するしかないのか、もしくは対策をしようにも完全にお手上げの状態なのかはさておき、これまでに数え切れないほどの脆弱なSCADAシステムがあっさりと発見されてきた。それらの問題点の指摘や、実際に模型を持ち込んで行われるデモ実験（SCADAをハッキングし、石油のパイプラインのポンプを遠隔操作する攻撃の実演など）は、セキュリティイベントで定番のネタとなっている。なお、かの有名なスタクスネット（Stuxnet）

に攻撃されたナタンツの核施設も SCADA を利用していた。（江添）

[関連用語]
　　8200 部隊　SHODAN　オリンピックゲーム作戦
[参考]
　　Cimation Demonstrates SCADA Vulnerabilities（2013 年 9 月
　　　26 日、Cimation Cyber Security）
　　　https://www.youtube.com/watch?v=7G_T3VtEVgs
　　SCADA honeypots attract swarm of international hackers
　　　（2013 年 3 月 20 日、The Register）
　　　http://www.theregister.co.uk/2013/03/20/scada_
　　　honeypot_research/
　　Hackers induce 'CATASTROPHIC FAILURE' in mock oil well
　　　（2013 年 8 月 1 日、The Register）
　　　http://www.theregister.co.uk/2013/08/01/scada_plc_
　　　vulnerability/
　　Who Is Really Attacking Your ICS Devices?（2013 年 3 月 15 日、
　　　トレンドマイクロ）
　　　https://blog.trendmicro.com/trendlabs-security-
　　　intelligence/whos-really-attacking-your-ics-devices/

SHODAN
闇グーグルと異名を取る検索エンジン

　セキュリティ研究者やハッカー御用達の便利な検索エンジン。一
般的な IoT 製品から SCADA システムまで、インターネットに接

続されている「モノ」を探すことができる。そこで見つかる「システム」はオフィスビルや居住棟のものが多いとされるが、うっかり風力タービンのシステムが見つかってしまうようなケースもある。SHODAN の他にも、Censys.io などの類似したサービスが存在している。（江添）

[関連用語]
　SCADA　オリンピックゲーム作戦
[参考]
　SHODAN
　　https://www.shodan.io/
　Suomen automaatioverkkojen haavoittuvuus（2013 年 3 月 21
　　日、Aalto-yliopisto）
　　https://research.comnet.aalto.fi/public/Aalto-Shodan-
　　Raportti-julkinen.pdf

SORM
ロシアの包括的な通信傍受システム。ロシア版PRISM

　SORM（System for Operative Investigative Activities）はロシアの包括的な通信傍受システムで、ロシア版の PRISM と言える。
　SORM-1（1995 年、通信事業者に監視のための機器を設置させ、電話とメール、ウェブ閲覧を監視）、SORM-2（1998 年クレジットカード情報、2014 年 SNS も対象となる）、SORM-3（2015 年イ

ンターネットプロバイダに DPI を設置）と進化してきた。

　SORM はロシア国内用の監視システムであるが、海外への輸出も行っている。Protei などロシア企業がバーレーン、イラク、カタール、キューバ、メキシコ、ベネズエラ、ジョージア、ウクライナなどに販売していることがわかっている。（一田）

[関連用語]
　ネット世論操作産業　チャイナモデル　ネット世論操作産業
[参考]

　In Ex-Soviet States, Russian Spy Tech Still Watches You（2012 年 11 月 12 日、Wired）
　　https://www.wired.com/2012/12/russias-hand/
　Documents reveal how Russia taps phone companies for surveillance（2019 年 9 月 18 日、TechCrunch）
　　https://techcrunch.com/2019/09/18/russia-sorm-nokia-surveillance/
　Exporting digital authoritarianism The Russian and Chinese models（2019 年 8 月、ブルッキングス研究所）
　　https://www.brookings.edu/research/exporting-digital-authoritarianism/

XKEYSCORE（エックスキースコア）
日本にも提供されているNSAの監視システム

　XKEYSCOREはスノーデンの告発によって暴露されたNSAの監視システム。世界中の通信を傍受しているとされている。

　2008年の資料ではアメリカ、メキシコ、ブラジル、イギリス、スペイン、ロシア、日本など150カ所に監視施設があり、700以上のサーバがあるとされている。「全てのデータ」を収集し、3日から5日間保管し、メタデータは30日から45日保管される。そこにはメールやウェブ閲覧だけでなく、音声通話、PCカメラの画像、SNS、キーログ（キーボード操作の記録）、パスワードなどが含まれている。

　グーグル検索の記録も役に立つ。たとえばアルカイダの幹部が自分の名前や偽名をグーグルでエゴサーチした記録をXKEYSCORE経由で入手したことで偽名がわかったこともある。

　アメリカ、および同盟国政府の通信（TCPセッション）を傍受、蓄積し、検索することができる。傍受方法はケーブルからの他、多岐にわたる。たとえばシステムアドミニストレーターを狙ったハッキングはよく使われている。世界最大のSIMカードプロバイダGemaltoをハッキングして暗号鍵を多数盗み出したこともわかっている。

　XKEYSCOREはアメリカ国家安全保障局（NSA）が利用している他、カナダ、ニュージーランド、イギリス、日本が利用している。

　データの保管期間は数日間（場所によっては24時間容量が持たないこともあるらしい）だが、重要なものはもっと長く保管される。検索する際、メールアドレスやIPアドレスなどさまざまな項目をキイにし、検索結果からメール本文、SNSのチャットなどの内容を確認できる。これらの運用について法的な疑問が呈されている。日本の国内には3カ所以上の拠点があり、およそ500億円以上（5億ドル以上）を日本が負担している。

　現在の通信はhttpsなどによって暗号化されているものが多い。

XKEYSCORE がこれらを解読できるかどうかは明らかではないが、スノーデンの告発によってフェイスブック、アップル、マイクロソフトなど主要な IT 企業が NSA にデータを渡したことが明らかになっているため彼らがドメインの秘密鍵を NSA に提供している可能性がある他、大手暗号企業 RSA が NSA にバックドアを提供していたことが暴露されたことから他の暗号についても同様の可能性がある。そのため暗号化されていても、XKEYSCORE で復号されている可能性がある。

　XKEYSCORE は日本の防衛省情報本部にも提供されている。
（一田）

[関連用語]
　　　防衛省情報本部　エドワード・スノーデン
[参考]
　　XKeyscore: NSA tool collects 'nearly everything a user does on
　　　the internet' (2013 年 7 月 31 日、ガーディアン)
　　　https://www.theguardian.com/world/2013/jul/31/nsa-
　　　top-secret-program-online-data
　　XKEYSCORE: NSA's Google for the World's Private
　　　Communications (2015 年 7 月 1 日、The Intercept)
　　　https://theintercept.com/2015/07/01/nsas-google-worlds-
　　　private-communications/
　　A LOOK AT THE INNER WORKINGS OF NSA'S XKEYSCORE
　　　(2015 年 7 月 2 日、The Intercept)
　　　https://theintercept.com/2015/07/02/look-under-hood-
　　　xkeyscore/
　　米 NSA、日本にメール監視システム提供か　米報道 (2017 年 4 月 24

日、朝日新聞)

https://www.asahi.com/articles/
ASK4S6QZGK4SUHBI035.html

米国が提供したとされる電子メール監視システムに関する質問主意書
(2017 年 4 月 25 日、衆議院)

http://www.shugiin.go.jp/internet/itdb_shitsumon.nsf/
html/shitsumon/a193263.htm

事件とイベント

「インターネット・センサス2012」
ひとりの人物による420億のIPアドレス、42万のボットによる統計

「インターネット・センサス 2012」とは、2013 年 3 月 19 日に公開されたレポートであり、たったひとりの人物が 420 億の IP アドレスに対して 42 万のボットを用いてデータを収集、統計を取った。

今でこそ、IoT の危険性が叫ばれているが、そのような発想はほとんどなかった 2012 年に民生用ルーター、セットトップボックスなどを乗っ取って調査を行った。乗っ取った機器のほとんどは、root あるいは admin といった容易に推定できるパスワードが設定されていた。中にはパスワードすら不要なものもあった。

報告者はあまりにも多くの無防備な機器が存在しているので、世の中に警鐘をならしつつ、統計データも取ろうと思いついたのだという。

発見した無防備状態の機器は 200 万以上。開発したボットクライアントが動かないプラットフォーム、クリティカルな業務で使用中、産業関連の制御に使用中といったものを対象から省いた結果、残ったのが 42 万件なのである。かなり良心的と言えよう。

このレポートは全世界の状況をさまざまな角度から統計で明らか

にした。中には脆弱性を持ったプリンターなどの機器も見つかっている。

　IoT 機器を利用した本格的な攻撃が世間に知られるようになったのは、2016 年に発生した Mirai の事件（IoT を中心とするボットネットによる DDoS 攻撃）からであるが、「インターネット・センサス 2012」はその 4 年前に 42 万台を乗っ取って利用しており、実際には 200 万台までを使うことが可能な状態であったことは驚きである。

　ちなみに筆者は「インターネット・センサス 2012」公開時にいち早く日本語で紹介し、警告を発したが、関係者の耳には届かず（あるいは無視）、彼らが本腰を入れるのは Mirai のような大規模破壊活動による被害の後となった。（一田）

［関連用語］
　ボットネット
［参考］
　「インターネットセンサス 2012」とはなにか（2013 年 3 月 27 日）
　　https://scan.netsecurity.ne.jp/article/2013/03/27/31309.
　　html

オペレーション・バックショット・ヤンキー（OBY）

アメリカ軍内部に達したサイバー攻撃

　2008年に起きたアメリカ最悪のサイバー被害に対抗するために行われた作戦が、オペレーション・バックショット・ヤンキー（Operation Buckshot Yankee［OBY］）である。2008年10月24日14時30分に異常が検知された。本来、安全であるはずの内部（それも中央軍の機密情報を扱うコンピュータから）から外部に向かって通信が行われていた。

　USBフラッシュメモリ経由で侵入したウイルスAgent.btzは感染を広げ、アメリカ軍内部に広がり、過去最大の被害を与えた。ウイルスを完全に除去するために14カ月を要した。当時、この事件は公開されず、極秘とされた。

　日本ではアメリカのサイバー戦能力は高いと考えている人が多いが、少なくとも20世紀終わりから21世紀初頭にかけてはぼろぼろに中国やロシアにやられ続けていた。それでも事態の深刻さを理解し、対処しようと真剣に取り組む人間は少なかった。この事件はアメリカが本格的にサイバー戦への対処をするきっかけとなった。（一田）

[参考]

　　『Dark Territory: The Secret History of Cyber War』（2016年3月1日、Fred Kaplan、Simon & Schuster）
　　三つの重大インシデントが契機。米国防機関が実践する縦深／多層防御、データ中心型のセキュリティとは？（2015年06月15日、@IT）

https://www.atmarkit.co.jp/ait/articles/1506/15/
news010.html

オリンピックゲーム作戦
イランの核開発を狙った「純粋なサイバー攻撃」の共同作戦

　アメリカとイスラエルがイランの核施設を狙い、極秘にサイバー攻撃を実行した共同作戦のコードネーム。作戦が開始されたのは2006年。当時の米大統領はジョージ・W・ブッシュだったが、次期大統領のオバマが作戦を引き継ぎ、その活動を加速させたと伝えられている。かの有名なスタクスネット（Stuxnet）も、この作戦から生まれた。

　スタクスネットは「世界で最も古いサイバー兵器」と呼ばれているマルウェアのひとつ。CIA、NSA、8200部隊（イスラエル国防軍の諜報部隊）が開発に関わったと考えられているが、詳細は定かではない。このマルウェアは2009年から2010年にかけて密かに活動し、ナタンツのウラン濃縮施設システムに配備されていた高速遠心分離機9000台のうち1000台に障害を引き起こしたが、後に存在を暴露された。

　政治的な影響としては「作戦が公になったことで、核開発計画に関するイランとアメリカの外交的な解決は絶望視された」という見方もある。また「スタクスネットの影響で、イラン政府は以前よりもはるかに警戒を強めたため、結果としてイランの核分裂性物質の生産性は感染前よりも上昇した」とイギリスのシンクタンク王立防

衛安全保障研究所は報告している。この事件はセキュリティ業界に
対しても、産業制御システム SCADA の脆弱性の問題を広く認識さ
せるきっかけとなった。（江添）

[関連用語]
　SCADA
[参考]
　　Obama Order Sped Up Wave of Cyberattacks Against Iran
　　　（2012 年 6 月 1 日、New York Times）
　　　https://www.nytimes.com/2012/06/01/world/middleeast/
　　　obama-ordered-wave-of-cyberattacks-against-iran.
　　　html?pagewanted=1&_r=2
　　Stuxnet worm 'increased' Iran's nuclear potential (Telegrapf)
　　　http://www.telegraph.co.uk/technology/news/10058546/
　　　Stuxnet-worm-increased-Irans-nuclear-potential.html
　　Stuxnet Malware and Natanz
　　　http://isis-online.org/isis-reports/detail/stuxnet-
　　　malware-and-natanz-update-of-isis-december-22-2010-
　　　reportsupa-href1/

クリミア侵攻と通信網遮断
ハイブリッド戦を世界に見せつけた事件

「クリミア半島の通信センターが未知の攻撃を受け、サービスを遮
断された」とウクライナの国営通信事業者 Ukrtelecom が発表した
のは 2014 年 2 月 28 日だった。このときクリミア半島とそれ以外

のウクライナの地を結んでいた通信サービスはダウンし、またクリミア半島内の電話回線、インターネット接続、モバイルサービスも停止した。

　それは「ロシア軍から攻撃された」と訴える発表ではなかったが、タイミングと場所と内容から考えれば攻撃元はほぼ自明だった。その発表が行われた直後から、セキュリティ系メディアは「クリミアを舞台にロシアのサイバー軍事行動が開始したようだ」「ロシアはグルジア戦と同様のサイバー攻撃をクリミアに対しても行うのではないか」と論じはじめていた。

　同年3月3日には「ロシア軍によるクリミアのインターネット接続の切断」をフランス通信社が報じ、翌4日には「ウクライナ議会議員の携帯電話がIP電話の攻撃を受けていること」をロイター通信が報じた。しかし3月6日のFBNの報道によれば、ロシアはこれらの攻撃に関してあらゆる関連を否定した（念のために付言すると、この時点で、すでにクリミア半島は事実上ロシア軍によって掌握されている）。

　これらの通信網遮断は、ロシアによる「サイバー空間を狙った軍事作戦」のごく一部に過ぎなかっただろう。クリミア侵攻の際には、SNSを利用した世論操作がフル稼働されていたという見方も強く、それは市民の反米的な感情を煽ることによって「分離独立、ロシアへの帰属」を求める動きに大きく貢献したのかもしれない（3月16日に実施された住民投票では、ロシア帰属を望む投票が97%に及んだ）。

　余談ではあるが、同年3月1日には、ロシアの国営メディアRTのウェブサイトがハッキングされ、同サイト内の「ロシア」および

「ロシア人」という言葉が「ナチ」「ナチス」に置き換えられるという珍事件も発生している。自動的に全ての単語が置き換られたわけではなく、「ロシアの上院議員たち、ウクライナの領土にナチス軍を配置するよう投票」「ロシアへの亡命を要請したナチスの数、14万3000人に」といった見出しになっていたため、ウクライナ支持派の活動ではないかとの見方が強いが、犯行声明は行われていない。（江添）

[関連用語]
　　ハイブリッド戦　RT とスプートニク
[参考]
　　Hack Attack（2014 年 3 月 3 日、Foreign Policy）
　　http://www.foreignpolicy.com/articles/2014/03/03/hack_attack
　　Ukraine hit by cyberattacks: head of Ukraine security service（2014 年 3 月 4 日、ロイター）
　　http://www.reuters.com/article/2014/03/04/us-ukraine-crisis-telecoms-idUSBREA230Q920140304
　　核兵器を超えたフェイクニュースの脅威　ロシアのハイブリッド戦闘能力（後編）（2018 年 2 月 2 日、THE ZERO/ONE）
　　https://the01.jp/p0006449/
　　Russia Today（RT）Hacked, "Russian" replaced with "Nazi" in News Headlines（2014 年 3 月 2 日、The Hacker News）
　　http://thehackernews.com/2014/03/russia-today-hacked-russian-replaced.html

黒人人権運動 (BLM)

SNS監視ツールを全米の警察に導入させる
きっかけとなった事件

　黒人人権運動（Black Lives Matter［BLM］）は2012年から2015年にかけて、アメリカの各地で起きた運動であり、一部では暴動に発展する事態となった。この事件はアメリカの警察に危機感を抱かせ、全土の地方警察ではSNS監視ツールの導入が相次いだ。また警察のこうした監視活動は人権団体などによって暴露された。アメリカにおけるSNS監視活動を考える上で、欠かせない事件といえる。

　発端となった事件は2012年にフロリダ州サンフォードで起きた。17歳の黒人少年トレイヴォン・マーティンがヒスパニックの自警団員に射殺された。犯人は警察に連行され、尋問されたが、正当防衛だったということで釈放された。このことが知れ渡ると、犯人を逮捕してきちんと捜査すべきだという抗議が急速に広まった。6週間後、犯人は殺人の疑いで告訴されたが、翌年、殺人罪については無罪の判決が出て、3年後には被害者の権利を侵害した件でも無罪となった。

　2014年8月9日、ミズーリ州ファーガソン市で黒人少年マイケル・ブラウンが警官に射殺された事件では、葬儀直後、人々が店を壊したり放火したりする騒動となり、警察は催涙ガス、発煙筒、ゴム弾などあらゆる方法で鎮圧を試みた。その後、緊急事態宣言が出され、州兵が派遣されるまでとなった。

　2015年4月19日にボルチモアで25歳の黒人男性フレディ・グ

レイが警官に逮捕され、その時の負傷が原因で死亡した事件でも暴動が起きた。夜間外出禁止令が出され、州軍が出動した。

このほかにデンヴァー、アナーバー、アルバカーキ、ボストン、シンシナティ、ミネアポリス、オークランド、フィラデルフィア、シアトル、ワシントン DC で抗議活動が行われた。

これらの事件により黒人の権利を守る運動 Black Lives Matter が始まり、SNS で投稿に付けるハッシュタグ "#BlackLivesMatter" が広まった。ハッシュタグは、SNS に投稿する際につける記号のようなもので頭に "#" をつけることで本文と区別する。ハッシュタグを目印に検索をすることで投稿を見つけやすくなる。

BLM では暴徒が SNS で連絡を取り合っていたことから、SNS 監視ツールの導入が全米の地方警察で進んだ。

アメリカ自由人権協会（ACLU）は、2016 年に全米 63 の警察に SNS の監視について質問状を送り、52 の回答を得た。それによると、21 の警察が SNS 監視ツールを使用していた。21 の警察の多くは 2015 年、つまり BLM の最中に使用を開始していた。使用開始は公には告知されなかった。

その結果は、2016 年 10 月 11 日、ACLU のブログに「フェイスブック、Instagram、およびツイッターが黒人人権運動の活動家に関するデータを提供（Facebook, Instagram, and Twitter Provided Data Access for a Surveillance Product Marketed to Target Activists of Color）」というタイトルのレポートで掲載された。

ACLU は約 100 年前に設立された NGO で、憲法によって保障されている言論の自由を守ることを目的としており、アメリカの社会と政治に影響力を有している。（一田）

[関連用語]

　　ネット世論操作産業　FBI の監視用ソフトウェア
　　アメリカ自由人権協会（ACLU）　ゼロフォックス
　　ジオフィーディア

[参考]

　　『犯罪「事前」捜査』（2017 年 8 月 10 日、一田和樹、江添佳代子、角
　　川新書）

サイバーセキュリティ小説コンテスト
内閣サイバーセキュリティセンターの協力で
カクヨムで行われた小説コンテスト

　2018 年に KADOKAWA の小説投稿サイトで行われた小説コンテストである。2018 年 3 月 31 日から応募受付が始まり、2018 年 12 月に結果発表され、大賞受賞作の『噂の学園一美少女な先輩がモブの俺に惚れてるって、これなんのバグですか?』（応募時のタイトルは『目つきの悪い女が眼鏡をかけたら美少女だった件』）は角川スニーカー文庫から出版された。応募総数は 284 だった。ちなみに 2018 年 12 月 1 日から応募受付が始まったカクヨム公式の第 4 回カクヨム Web 小説コンテストには 3708 作品の応募があった。

　主催は、日本ネットワークセキュリティ協会（JNSA）、KADOKAWA とサイバーセキュリティ戦略本部（協力：内閣サイバーセキュリティセンター）が後援している。

　協賛会社として、サイボウズ、日本マイクロソフト、日立システ

ムズ、シマンテック、トレンドマイクロ、日本レジストリサービス（JPRS）、ベネッセインフォシェルが名前を連ねた。

　サイバーセキュリティの次世代人材を育成、知識を一般に広めることを目的に行われたと思われる。「思われる」と書いたのはコンテストの目的がカクヨムおよびJNSAのサイトには書かれていなかったからである。応募者にとっては意味のない情報だから割愛したのであろうが、選考委員は目的を意識しているはずなので、目的を明示した方がフェアのように思われる。

　通常の小説のコンテストと異なり、ハッカーが選んだ「ネタ記事」リンク集、サイバー小説コン取材（施設見学）、ハッカー・エンジニアに聞いてみようコーナーといった応募者をサポートする企画もあり、充実した企画だったといえる。

　刊行された大賞受賞作は2019年に行われたセキュリティ・キャンプ（セキュリティ・キャンプ協議会が実施している教育キャンプ。以下セキュキャン）で参加者全員に配布された。その時の参加者の中にサイバーミステリ『サイバーテロ　漂流少女』を読み、セキュキャンに憧れて参加した少年がいた。それを知った筆者は小説コンテストの予算で『サイバーテロ　漂流少女』をコミカライズしてネットで無償公開した方が人材育成とリテラシー向上に役立つように感じたが、そこについては深く考えないことにした。

　この年、NISCは2018年3月4日に秋葉原で「アナログハックを目撃せよ！2018」というアニメ作品とのタイアップイベントを行うなど、若年層向けのサイバーセキュリティリテラシー向上のためのイベントを積極的に行っていた。（一田）

[関連用語]

　　内閣サイバーセキュリティセンター

[参考]

　　サイバーセキュリティ小説コンテスト
　　　https://kakuyomu.jp/contests/cyber_security/detail
　　噂の学園一美少女な先輩がモブの俺に惚れてるって、これなんのバグ
　　　ですか？
　　　https://kakuyomu.jp/works/11773540054886271542
　　一般社団法人セキュリティ・キャンプ協議会
　　　https://www.security-camp.or.jp/index.html

ソニー・ピクチャーズ・エンターテインメント（SPE）ハッキング事件
娯楽映画に関する北朝鮮からの報復

　2014年11月に発生した悪名高きハッキング事件。犯行声明を発表したハッカー軍団の正体やハッキングの目的、盗まれたデータの量（約100TB）と内容、そしてSPEやアメリカ政府の反応など、さまざまな側面が大きな話題を呼んだ。

　まずSPEのシステムをダウンさせたGuardians of Peace（以下GoP）を名乗るハッカー集団は、同社のシステムに侵入して社内データを盗んだと主張した。そして盗んだ情報の一部をオンラインに公開し、「我々の要求を呑まなければ、より詳細な情報を暴露する」と宣言した。

　SPEはメディアに対して報道を自粛するよう要請した。しかし複数回にわたって公開された機密データには、従業員や関係者の個人情報だけでなく、彼らの給与明細や発売予定の製品に関する情報など、一般の人々も興味を示しやすい極秘情報が含まれており、さらにはソニー・ピクチャーズの幹部やセレブたちに繋がるスキャンダラスな情報もあった。それらはゴシップ系メディアでも扱われたため、事件は多くの人々に知られるものとなった。

　たとえば当時SPEの共同会長を務めていたエイミー・パスカルと、著名な映画プロデューサーのスコット・ルーディンが個人的に交換していたメールには、アンジェリーナ・ジョリーに対する中傷的な発言、およびオバマ大統領（当時）に関する人種差別的な発言などが記されていた。強い非難を浴びたふたりは公的に謝罪し、パスカルは共同会長を引責辞任している。

　犯行声明を発表したGoPが「追加情報を暴露する日」として予告した12月25日は、SPEの映画「ザ・インタビュー」のアメリカでの公開日でもあった。金正恩の暗殺計画を面白おかしく扱った同タイトルを、北朝鮮は「戦争行為」と表現して批難していた。そのためSPEがハッキングされた直後から「北朝鮮の仕業ではないのか」と指摘する声は少なくなかった。

　やがてFBIの調査結果を受けた米政府が、「この事件は『ザ・インタビュー』への報復として北朝鮮が行ったものである」と公式に発表し、また一部のセキュリティ専門家は米政府の結論に疑問を呈し、事件はますます世界の注目を集めた。さらにSPEが同タイトルの上映の一旦中止を発表したこと、それに対してオバマ大統領が「誤った決定だ」とコメントしたこと、のちに公開中止が撤回され

たことも、事件を巡る騒ぎに拍車をかけていった。

　このハッキングを調査した FBI は確信を持って「北朝鮮」を名指ししており、NSA もそれに強く同意した。根拠としては、2 年前に韓国を襲った大規模なサイバー攻撃「ダーク・ソウル」と SPE のハッキングの類似性が指摘されている。彼らによれば、GoP の利用したふたつのマルウェアは「北朝鮮のプログラマが書いたものと考えられているスパイウェア」に酷似しており、コードの一部、暗号アルゴリズム、データを削除する手段が一致していた。また北朝鮮に結び付けられている複数の IP アドレスも、今回の事件に用いられていたという。

　しかし北朝鮮の仕業だと断定できた本当の理由は、SPE 事件の発生より 4 年も前の 2010 年に、韓国の支援を受けたアメリカの NSA が北朝鮮のネットワークへ密かに侵入し、監視することに成功していたからだとの指摘もある。ドイツの週刊誌『デア・シュピーゲル』や『ニューヨーク・タイムズ』は、その指摘を裏付けするような記事を掲載した。一部の元担当局者によれば、NSA は「多数のコンピュータとネットワークの内部動作を追跡できるマルウェア」を、すでに北朝鮮へ配備していたという。しかし、それがたとえ事実だとしても、「このマルウェアのおかげで最初から犯人が分かっていた」とは発表できないだろう。（江添）

[参考]

　Sony Pictures in IT lock-down after alleged hacker hosing
　　（2014 年 11 月 25 日、The Register）
　　http://www.theregister.co.uk/2014/11/25/sony_pictures_

in_it_lockdown_after_alleged_hacker_hosing/

In North Korea, hackers are a handpicked, pampered elite（2014 年 12 月 4 日、ロイター）

http://www.reuters.com/article/2014/12/05/us-sony-cybersecurity-northkorea-idUSKCN0JJ08B20141205

Feds finger Norks in Sony hack, Obama asks: HOW DO YOU SOLVE A PROBLEM LIKE KOREA?（2014 年 12 月 19 日、The Register）

https://www.theregister.co.uk/2014/12/19/fbi_reverse_ferret_says_norks_did_do_sony_hack_security_industry_skeptical/

North Korea is capable of pwning Sony. Whether it did is another matter（2015 年 11 月 24 日、The Register）

https://www.theregister.co.uk/2015/11/24/north_korea_could_have_pwned_sony/

N.S.A. Breached North Korean Networks Before Sony Attack, Officials Say（2015 年 1 月 18 日、The New York Times）

https://www.nytimes.com/2015/01/19/world/asia/nsa-tapped-into-north-korean-networks-before-sony-attack-officials-say.html

タイタン・レイン（Titan Rain）
アメリカの安全保障関係組織を狙い撃ち

アメリカ国防総省は 2005 年、「アメリカのネットワークに対して組織的なサイバー攻撃が 2003 年から行われてきた」と発表し、その一連の攻撃活動をタイタン・レインと名付けた。タイタン・レイ

ンの攻撃ではアメリカの国務省、国土安全保障省、エネルギー省、そしてロッキード・マーティンやレッドストーンアーセナル、NASAなどの請負業者が標的となった。またイギリスの国防省や外務省なども、同じ攻撃者たちの活動の標的になったと考えられている。のちのイギリス政府の報告によれば、タイタン・レインの活動は2007年まで継続した。

　このような高度な攻撃では偽旗作戦も用いられるので犯人を特定するのは困難だが、アメリカは当初からタイタン・レインが中国政府に起因する攻撃だと非難していた。また攻撃者の正体は中国人民解放軍総参謀部第三部二局 61398 部隊（通称 APT 1）だったものと広く信じられている。ともあれ、タイタン・レインは「おそらくは中国政府による『情報収集を目的として長期的な計画のもとに潤沢な予算で行われる高度なサイバー攻撃（のちに言うところの APT 攻撃）』」の先駆け的な存在である。もちろん中国政府は関与を否定している。

　タイタン・レインの犯行の手口に関しては、『TIME』誌に掲載されたショーン・カーペンター氏による報告が詳細で生々しい。氏によれば、タイタン・レインが盗み出したデータは韓国、香港、台湾などを中継して中国広東省へ送られており、一連の攻撃時間は 10分から 30 分の間に痕跡を残さぬよう行われていたという。カーペンター氏は、攻撃の標的となったサンディア国立研究所の元セキュリティ分析者で、タイタン・レインを研究し追跡した人物。その影響を重く見た彼は、研究所の意向に逆らってタイタン・レインの追跡を続けたため解雇された。のちに不当解雇として裁判を起こし、勝訴している。（江添）

[関連用語]

    APT

[参考]

    Titan Rain - how Chinese hackers targeted Whitehall（2007年
      9月5日、The Guardian）
      https://www.theguardian.com/technology/2007/sep/04/
      news.internet
    Titan Rain（2005年8月、Cyber Operation Tracker）
      https://www.cfr.org/interactive/cyber-operations/titan-
      rain
    PRC forces also ravaging UK gov nets, insist Brits（2007年9
      月6日、The Register）
      https://www.theregister.co.uk/2007/09/06/china_net_
      attack_uk_us_titan_rain/
      https://courses.cs.washington.edu/courses/
      csep590/05au/readings/titan.rain.htm
    Employee fired for probing bad guys awarded $4.7m（2007年
      2月16日、The Register）
      https://www.theregister.co.uk/2007/02/16/sandia_
      verdict/

ロヒンギャ問題

民主主義とは何かが問われる国際問題

　ロヒンギャとはミャンマーの少数民族の名称である。この民族に
対する差別と虐待が世界の注目を集めている。差別や虐待をテーマ
としていない本書で取り上げたことには理由がある。この問題には

フェイスブックが深く関わっている。

「フェイスブックはなぜミャンマーでのヘイトスピーチ戦争に負けたのか（Why Facebook is losing the war on hate speech in Myanmar）」（ロイター）という記事のトップに大きくフェイスブックをもじった『HATEBOOK』と掲げられていた。ミャンマーで起きている大規模なロヒンギャ虐待をフェイスブックが加速しているというのだ。なお、ミャンマーでは宗教や民族などが絡み合い、さまざまなことが起きているが、本書のテーマとは離れるのでフェイスブックによってもたらされた騒動を簡単に紹介するにとどめたい。

　もともとミャンマーにおいてロヒンギャ問題は存在していた。それは軍政から民政に移行しても解決されるようなものではなかった。ロヒンギャとはラカイン地方に住む、ミャンマーでは数少ないムスリムである。およそ 100 万人程度がミャンマー国内にいたといわれ、国籍関連法が整備された際に国籍を与えられなかったため「不法移民」ということになった。宗教の違い、民族の違い、そして「不法移民」であることから差別の対象となっている。

　2012 年にミャンマーは軍政から民政に移行した。2010 年頃から同国では携帯電話が使えるようになっていたが、高価で普及しなかった。インターネットも同様に高く、ユネスコの統計では 2013 年におけるネット利用率は 13% で、そのほとんどはネットカフェでの利用だった。

　2013 年に西側の SNS が利用できるようになったが、その後フェイスブックの無料インターネットサービス Free Basics が導入されて爆発的に普及した。SIM カードの価格も 1.5 ドルと安価になり、2014 年にはネット利用率は 54% に跳ね上がった。そしてネットは

フェイクニュースの温床となり、フェイクニュースがきっかけでの
リンチなどが起きた。

　さらに普及は続き、2016年にはミャンマーのフェイスブック利
用者は1000万人、ネット利用者は85%に達した。そして現在で
はロヒンギャ差別の拡散と、差別虐待行動の呼びかけに使われるよ
うになった。

　フェイスブックは2018年4月にこれらへの対策を講じていると
発表したが、その4カ月後に前述のロイターの記事で、1000以上の
ヘイトスピーチ投稿がそのまま残っているなど措置が不十分であっ
たことが明るみに出た。

　2018年8月にはフェイスブックは20の個人と団体のアカウン
トを停止した。その中にはミャンマー軍司令官も含まれていた。さ
らに2019年2月5日にはフェイスブックは「ミャンマーのフェイ
スブックから危険な組織を締め出す」として国内の危険な4つのグ
ループを同社のサービスから排除した。だが、この措置に多くの人
権団体やメディアが疑問を呈し、批判した。たとえば2月7日付
のガーディアンは「ミャンマーには武装しているグループが多数あ
り、なぜこの4つだけが対象になったかが不明である。さらにヘイ
トの最大の発信源であるグループには手をつけていない。つまり非
常に偏りがあり、実効性に疑問がある」としている。やはりミャン
マーの状況を見る限り、はるかに後手に回っているという感が否め
ない。

　この問題にからんで日本も批判されている。2018年9月18日
の『ディプロマット』誌には「日本の恥ずかしいミャンマー抱き込
み」とまで書かれてしまった。ミャンマー防衛省のページに掲載さ

れている内容の通りだとすれば、自衛隊が会談した相手は、ミャンマー国軍の最高司令官であるミン・アウン・フラインで、虐待、虐殺を進めている張本人だ。そんな相手と協力関係を強めるのは批判されて当然だ。

日本は同地区の経済権益を確保するために、ミャンマー政府を支持している中国との対抗上、ミャンマー政府を支持しており、人権や人命には配慮していないと思われている。

ロヒンギャ問題はフェイスブックが世界にもたらしている影響が端的に表れているだけでなく、日本がもはや民主主義的価値を尊重しない国家になっていることも示している。（一田）

[関連用語]
　　フェイスブック　民主主義指数
[参考]
　　【ミャンマー】マンデレーで仏教徒がイスラム教徒を襲撃＝夜間外出禁止令が発令（2014 年 7 月 4 日、グローバルニュースアジア）
　　Fake news and social media fuelling Myanmar's 'ugly renaissance of genocidal propaganda' against Rohingya（2017 年 12 月 9 日、South China Morning Post）
　　Misinformation and hate speech in Myanmar（2017 年 5 月 18 日）
　　HOW FACEBOOK'S RISE FUELED CHAOS AND CONFUSION IN MYANMAR（2018 年 7 月 6 日、WIRED）
　　Facebook bans Myanmar military chief and says it was 'too slow' to act（2018 年 8 月 27 日、CNN）
　　日本：ミャンマーに残虐行為の責任追及を求めるべき（2019 年 10 月 20 日、ヒューマン・ライツ・ウォッチ）
　　https://www.hrw.org/ja/news/2019/10/20/334900

ロヒンギャ問題で日本とフェイスブック社が批判を受け続ける理由
（2019 年 4 月 21 日、文春オンライン）
https://bunshun.jp/articles/-/11508
安倍首相 ロヒンギャ問題でミャンマー軍トップと会談（2019 年 10 月 10
日、NHK）
https://www3.nhk.or.jp/news/html/20191010/
k10012120421000.html）

13万件の懲戒請求騒動
ブログに煽られて行動した中高年たち

　2017 年、13 万件の懲戒請求がさまざまな弁護士会に送付され
た。懲戒請求とは、弁護士の懲戒を請求することで誰でも行うこと
ができる。通常 2000 件から 3000 件程度の懲戒請求なので 13 万
件という数字は群を抜いている。ひとりで複数送付した者もおり、
送付した人数は 13 万人もいない。

「余命三年時事日記」というブログが弁護士を名指しして懲戒請求
するように呼びかけた。その根拠は全くなかったので、名前を挙げ
られた弁護士は見当違いのとばっちりを受けた形だ。またこのブロ
グは韓国に対して強い敵意をむき出しにしており、ヘイトに満ちて
いる。

　懲戒請求を行ったのは 40 歳代後半から 50 歳代が多く、正義感
で行ったという。しかしブログに書いてあった内容をそのまま信じ
て、扇動されていただけだった。関東大震災後に「韓国人が井戸に
毒を入れた」というデマを信じて韓国人を虐殺したことも彷彿とさ

せる騒動である。

　懲戒請求を受けた弁護士らは、懲戒請求を行ってきた相手を提訴し、さらに提訴された側が弁護士を逆に提訴するまでに騒ぎは広がった。

　懲戒請求騒動の元となったのは全く根拠のないブログの記事であり、それに扇動されて13万件超もの請求を中高年が送ってしまったことは日本がどれほどネット世論操作に脆い国であるかを露呈している。

[関連用語]
　　日本国内のネット世論操作
[参考]
　　匿名ブログに影響受け、弁護士に不当な懲戒請求。弁護士たちが反撃をはじめた（2018年5月16日、ハフポスト）
　　https://www.huffingtonpost.jp/2018/05/15/choukai-hangeki_a_23435605/
　　江川紹子の「事件ウオッチ」第104回　歪んだ正義感はなぜ生まれたのか…弁護士への大量懲戒請求にみる"カルト性"（2018年5月30日、Business Journal）
　　http://biz-journal.jp/2018/05/post_23534.html
　　不当懲戒請求者に対する訴訟の東京高裁判決について（2019年10月4日、ヤフーニュース）
　　https://news.yahoo.co.jp/byline/sasakiryo/20191004-00145288/
　　懲戒請求の男性、弁護士に謝罪「ただの差別と気づいた」（2019年4月11日、朝日新聞）
　　https://www.asahi.com/articles/ASM4C6JM9M4CUTIL01D.html

Eligible Receiver97
散々な結果となったサイバー攻撃の内部演習

　軍や民間の情報インフラを狙った攻撃に対するセキュリティを試す目的で、アメリカ国防総省が1997年6月に実施した「サイバー攻撃の内部演習」のコード名。この演習でレッドチーム（仮想敵として攻撃する側）となったNSAのハッカーたちは、国防総省の軍事指揮統制システムや民間の重要インフラのネットワークに侵入し、大規模なダメージを与えられることを実証した。その演習結果はアメリカの「サイバー攻撃に対する軍事的対応」が不十分であることを示したため、同国のネットワーク運用に大きな影響を与えたと考えられている。

　このときレッドチームが利用できるのは、一般的なハッカーでも購入できるコンピュータとソフトウェアのみに限られていた。つまりNSAは独自に開発した高度な技術や、潤沢な軍レベルのツールを使わないまま、ありがちな攻撃（たとえば脆弱性の利用、オープンソースでの情報収集、あるいはソーシャルエンジニアリングの手法など）を巧みに組み合わせた攻撃で重要システムへの侵入を果たした。

　Eligible Receiver97に関する大部分の情報は極秘扱いのままだが、それでも部分的に機密解除されている。公開されている文書によれば、演習は3つのシナリオに分かれており、そのうちの2つは、

●北朝鮮とイランのハッカー役となったレッドチームが、8つの米

都市のインフラ（特に送電網や 911 の緊急通信回線）を攻撃し、自
国への制裁を解除するよう圧力をかける
●アメリカ太平洋軍司令部、ペンタゴン、その他の国防総省施設の
電話、ファックス、コンピュータネットワークを攻撃し、アメリカ
の指揮統制システムを混乱させる

　という内容だったようだ（3 つ目は公開されていない）。（江添）

[参考]

Eligible Receiver 97: Seminal DOD Cyber Exercise Included
　　Mock Terror Strikes and Hostage Simulations（2018 年 8 月
　　1 日、National Security Archive）
　　https://nsarchive.gwu.edu/briefing-book/cyber-
　　vault/2018-08-01/eligible-receiver-97-seminal-dod-
　　cyber-exercise-included-mock-terror-strikes-hostage-
　　simulations
電力重要インフラ防護演習に関する調査 報告書（2004 年 8 月、独立
　　行政法人情報処理推進機構）
　　https://www.ipa.go.jp/security/fy15/reports/infra/
　　documents/infra_2004.pdf
Operation Eligible Receiver 97's Impact on Ransomware（2019
　　円 2 月 4 日、Cyber Defense Magazine）
　　https://www.cyberdefensemagazine.com/operation-
　　eligible-receiver-97s-impact-on-ransomware/
同じ URL
　　https://www.cyberdefensemagazine.com/operation-
　　eligible-receiver-97s-impact-on-ransomware/

Moonlight Maze
アメリカの政府機関および民間研究機関、
軍需企業などの機密情報を盗んだ犯人を追う

　1996 年に NASA、アメリカ国防総省、アメリカエネルギー省などの政府機関および民間研究機関、軍需企業などから機密情報の漏洩が始まった。

　1998 年 12 月 10 日に、この事件に対処するための「Moonlight Maze」タスクフォースが活動を開始した。

　ハニーポットと対ソ諜報活動からの情報で犯人はロシア関係者である可能性が濃厚となった。決め手になった情報は、空軍で特殊情報戦に従事していたケヴィン・マンディアからもたらされた。彼は暗号化した命令を解読し、キリル文字を発見、ロシアのものと断定した。なお、彼は 2006 年にマンディアント・レポートで知られるマンディアント社を興した。

　この事件の内容は機密扱いなり、詳細は公開されなかったが、2017 年になるとサイバーセキュリティ・ベンダのカスペルスキーラボが新たに入手したログからこの事件を再度解析し、そのレポートを公開した。（一田）

[参考]

ロシアがアメリカにネット攻撃？（1999 年 10 月 07 日、ワイアード）
　https://wired.jp/1999/10/07/ ロシアがアメリカにネット攻撃 ?/
『Dark Territory: The Secret History of Cyber War』（2016 年 3

月 1 日、Fred Kaplan 、Simon & Schuster)
Penquin's Moonlit Maze（2017 年 4 月 3 日、カスペルスキーラボ）
　https://securelist.com/penquins-moonlit-maze/77883/
How the United States Learned to Cyber Sleuth: The Untold
　Story（2016 年 3 月 20 日、politico）
　https://www.politico.com/magazine/story/2016/03/
　russia-cyber-war-fred-kaplan-book-213746

Operation Shady RAT
2006年から5年にわたって行われた 14カ国72の組織に対するサイバー攻撃

　Operation Shady RAT は 2011 年 8 月 3 日に、アメリカのサイバーセキュリティベンダ、マカフィー社が暴いた大規模なサイバー攻撃である。攻撃対象は、アメリカ政府、国連、国際オリンピック委員会など多岐にわたり、14 カ国 72 の組織（政府機関や民間企業など）だった。攻撃は少なくとも 2006 年から始まっていたとされた。特に台湾はターゲットにされていた。中国からの攻撃である可能性が高いとされた。

　だが、フレッド・キャプラン『Dark Territory』によれば当時のアメリカ大統領オバマは諜報機関からの報告で同作戦のことを知っていた。すぐに公開するつもりではなかったが、マカフィー社が情報を公開したために、公表せざるをえなくなったとしている。（一田）

[関連用語]

    APT

[参考]

    米政府や国連に5年前から大規模サイバー攻撃、マカフィー報告（2011
        年8月4日、AFP）

      https://www.afpbb.com/articles/2818203

    Shady RAT、その真相（2011年8月8日、シマンテック）

      https://www.symantec.com/connect/ja/blogs/shady-rat

    『Dark Territory: The Secret History of Cyber War』（2016年3
        月1日、Fred Kaplan、Simon & Schuster）

SolarSunrise

米軍システムに対する最も組織的かつ体系的な攻撃

  1998年2月に発生した当時の米軍システムの脆弱さを露呈した
ハッキング事件。1998年2月3日に、サンアントニオの空軍情報
戦センターのモニターが、アンドリュー空軍基地のシステムへの不
正侵入を検知した。2月4日には20以上のシステムのルート権限
が奪われていた。

  当時の米国防長官によると、米軍システムに対する「これまでで
最も組織的かつ体系的な攻撃」だった。関係者は当時の情勢から判
断し、イラクからの攻撃と考えた。

  システムで使われていたワークステーションSUNのOSであっ
たSolaris2.4と2.6の既知の脆弱性を突いた攻撃だったことから、

Solaris をもじった「SolarSunrise」タスクフォースが調査に当たった。このチームには、FBI、空軍特別調査局、NASA、米国司法省、防衛情報システム局、NSA、および CIA のエージェントが加わった。

　この基地のシステムにこの脆弱性があることは以前からわかっており、修正するよう指摘もされていたが、長らく無視されていた。犯人はイスラエルのハッカーから指導を受けた西海岸の 16 歳の高校生ふたりだった。彼らを指導したイスラエルのハッカー、エフド・テネンバウム（ハンドル名、The Analyzer）はイスラエルで起訴され、半年間のコミュニティサービス労働を言い渡された。捜査に当たった担当者は「彼は地元の新聞でヒーローとして取り上げられるだろう」と語った。（一田）

[参考]

『Dark Territory: The Secret History of Cyber War』（2016 年 3 月 1 日、Fred Kaplan 、Simon & Schuster ）

Sunrise, Sunset（1999 年 3 月 29 日、ワシントンポスト）
https://www.washingtonpost.com/wp-srv/national/dotmil/arkin032999.htm）

Solar Sunrise hacker 'Analyzer' escapes jail（2006 年 6 月 15 日、The Register）
https://www.theregister.co.uk/2001/06/15/solar_sunrise_hacker_analyzer_escapes/）

一般名詞・概念

アルゴリズム・アカウンタビリティ
アルゴリズムやAIは差別や偏向を助長する

アルゴリズム・アカウンタビリティとは読んで字のごとく、アルゴリズムに対する責任である。多くのネットサービスはアルゴリズムに基づいて商品やサービスをリコメンドしたり、利用者に提示する金額やサービス内容を最適化する。警察はSNSの監視データから個人や集団の傾向を分析し、危険な兆候を検知する。情報サイトは表示する情報をアルゴリズムによって決定する。審査や評価に用いられることもある。

あらゆる分野にアルゴリズムが導入されている。現在、その多くはAIによるものになっているが、まっさらな状態で学習して最適化することで特定の人種や地域居住者には安い商品しか表示されない、あるいは居住地区によって異なる価格を提示する、さらには個人の嗜好や属性によって犯罪者である可能性を判定するようになる問題が起きかねない。

すでに多くのSNSやECサイトでこの問題は発生している他、警察が捜査に用いるSNS監視アプリでも発生している。ネットが我々の生活のいたるところに入り込んでいる以上、そのアルゴリズムは我々の生活に大きな影響を与える。このことから、企業はアルゴリ

ズムに対して責任を負っているとする考え方になってきている。(一田)

[関連用語]
　　エコーチェンバー現象　フィルターバブル

エコーチェンバー現象
自分に都合のよいものしか見えなくなる

　エコーチェンバー現象とは自分に都合のよい意見や情報ばかりが集まる空間にいると、どんどん自分の意見が正しいものとして強化されていくことを指す。インターネットには莫大な量の意見や情報があり、偏った意見でも類似の意見を持つ集団やそれを裏付ける情報が見つかりやすい。その集団の中（SNSのグループなど）に入ると、接する意見や情報は全て自分の意見に合致するものばかりとなる。これをエコーチェンバー現象という。否定する証拠や意見が他にあるにも関わらず、それに接することがないため、頑なに誤った考えを信じ続けることにも繋がる。仮に異なる意見や情報があったとしても、エコーチェンバーの中では苛烈な批判や攻撃にさらされることになる。

　エコーチェンバーは少数の集団だけで起こるわけではなく、多くの人々あるいはメディアがその意見を支持すれば広い範囲にわたって多数の人間を巻き込んだものとなる。（一田）

[関連用語]

　　フィルターバブル　ネット世論操作産業
　　ボット、トロール、サイボーグ

ガバメントウェア、リーガルマルウェア、ポリスウェア

政府機関が使用するマルウェア

　政府が使うマルウェアの総称。政府が国民を監視するために使うスパイウェアや、テロの防止に用いることもある。犯罪捜査のために用いられる場合は、ポリスウェアと呼ばれることもある。

　その国の政府や関係機関が開発することもあるが、政府向けにマルウェアを提供している企業も存在する。有名なのはガンマグループ、ハッキングチームなどである。彼らは治安維持やテロ対策あるいは犯罪検挙のためのソフトウェアであるとしているが、言論弾圧や人権侵害に用いられていることもあり、問題視されている。（一田）

[関連用語]

　　FBIの監視用ソフトウェア　データ傍受技術ユニット（DITU）
　　サイバー軍需産業、企業

機能的識字能力

文章の意味を理解することはメディアリテラシーの前提

　識字能力は読み書きの能力を指す。機能的識字能力とは文字そのものの読み書きではなく、書かれている内容を理解する能力である。たとえば、取扱説明書を読んで、書かれている通りに操作する能力である。

　機能的識字能力が低いと取扱説明書を読むことはできても指示通りのことができない。ネットでは、ツイッター上でふつうに発言し、受け答えもしているのに、よく見ると相手の言っていることを明らかに理解していないように見えることがある。機能的識字能力が低さが原因の可能性がある。

　フェイクニュースは感情的な反応を引き出すように書かれていることが多く、中にはビジュアルでほとんど伝えているものもあるので、機能的識字能力の低い人でも内容を理解することができる。

　新井紀子『AI vs. 教科書が読めない子どもたち』によると、基本的な文章読解力が欠落した人々が多くいることが具体的な調査や事例とともに紹介されている。機能的識字能力の欠如が深刻である。2011 年に新井は日本数学会の教育委員長として、全国の大学生6000 人に対して大学生数学基本調査を実施し、大学の教科書の理解度を調べた。その結果、偏差値が特に高い国立大学以外では正解が少なく、深刻な誤答も少なくなかった。その後、新井はリーディングスキルテスト（RST）を開発し、基礎的読解力調査を開始し、累計 2 万 5000 人のデータを収集し、現在も継続中という。

また、橘玲『事実 vs 本能 目を背けたいファクトにも理由がある』では、2011 年から 2012 年に OECD 加盟国を中心に実施された読解力、数的思考能力、IT スキルの測定調査の国際成人力調査（PIAAC）の結果を紹介しながら、よりひどい状況を紹介している。読解力だけでなく、数的思考能力、IT スキルのいずれにおいても悲惨な結果となっているのだ。

　単純で扇情的なものが多いフェイクニュースに比べ、ファクトチェック記事は論理的で複雑なものが多いため、機能的識字能力の低い人間には理解が難しい可能性が高く、高いメディア・リテラシーも望みにくい。ネット世論操作に脆弱な層が拡大している。（一田）

[関連用語]
　フェイクニュース　ファクトチェック　メディアリテラシー
[参考]
　『AI vs. 教科書が読めない子どもたち』（2018 年 2 月 2 日、新井紀子、東洋経済新報社）
　『事実 vs 本能 目を背けたいファクトにも理由がある』（2019 年 7 月 26 日、橘玲、集英社）

金融市場向けフェイクニュースPR企業
金融資本主義を揺るがすPR企業群

　『フォーブス』誌の「フェイクニュースは株式市場に影響を与えるか（Can 'Fake News' Impact The Stock Market?)」によると、

2013 年、AP 通信のツイッターアカウントが乗っ取られ、当時大統領だったオバマが爆発によって負傷したというニュースが流された。その直後、アメリカの株式市場は 1300 億ドル（約 13 兆円）も暴落した。金融市場は情報によって大きく変動する。つまりフェイクニュースを始めとするネット世論操作のターゲットになり得る。

　それを証明するように、2014 年にツイッターを使った情報操作で Cynk Technology という企業の株価が 2 万 5000％ も跳ね上がる事件が起きた。

『フィナンシャル・タイムズ』は 2017 年 5 月、ImmunoCellular Therapeutics という会社の事例を取り上げ、フェイクニュースが金融市場を蝕んでおり、証券取引委員会（SEC）が取り組んでいると報じた。Lidingo が PR を請け負っていた Lion Biotechnologies や Galena や Ahn といった企業は SEC に摘発されている。

　記事によればこれらの企業は Lidingo に多額の費用を支払っていた。Galena は、最低でも毎月 46 万ドルを支払っていたという（ボーナスつき）。年間にしたら、552 万ドル（約 5 億 5200 万円）である。また、DreamTeam Group という PR 企業も存在し、同様に SEC から摘発されている。（一田）

[関連用語]

　　フェイクニュース　ネット世論操作産業

[参考]

　　The Curious Case of Cynk, an Abandoned Tech Company
　　　Now Worth $5 Billion（2014 年 7 月 10 日、Mashable）
　　　https://mashable.com/2014/07/10/cynk/

Can 'Fake News' Impact The Stock Market?(2017 年 2 月 26 日、
　　Forbes)
　　https://www.forbes.com/sites/kenrapoza/2017/02/26/
　　can-fake-news-impact-the-stock-market/
Fake news infiltrates financial markets（2017 年 5 月 4 日、
　　Financial Times）
　　https://www.ft.com/content/a37e4874-2c2a-11e7-bc4b-
　　5528796fe35c
SEC Cracks Down on "Fake Biotech News（2017 年 4 月 12 日、
　　BioSpace）
　　https://www.biospace.com/article/-b-sec-b-cracks-down-
　　on-fake-biotech-news-/
SEC targets fake stock news on financial websites（2017 年 4
　　月 11 日、ロイター）
　　https://www.reuters.com/article/us-sec-fakenews-
　　idUSKBN17C1YP

サイバー軍需産業、企業
未知の脆弱性やマルウェアでサイバー戦を支援

　サイバー軍需産業とは、サイバー戦に関係する物資やサービスを
提供する産業を示す造語である。一般的な軍需産業の範囲は広く軍
の調達する物資を提供する企業群を含んでいる。兵器はもちろんの
こと、電子機器、服、燃料、寝具、食料など多岐にわたり、グレー
ゾーンが存在する。本来軍事用途として開発されたわけではない製
品も軍用に用いられるような場合である。CCD カメラや GPS 装置
などは兵器の重要な部品であると同時に、民政用品の部品でもあり

得る。軍事転用可能なものは、禁輸措置がとられていることが少なくない。これらの装置を開発、生産する会社の多くは軍需産業に含まれない。サイバー軍需産業の場合は、マルウェアなどのサイバー兵器のみならず、監視システム、防御システム、脆弱性情報の提供など多岐にわたる。「軍需」という言葉から攻撃的な意味合いを読み取る人も多いと思うが、サイバー戦においては攻撃と防御の区分が不明瞭である。

　サイバー軍需産業がひときわ目立つようになったのは、2010年9月15日、アメリカ国防総省がサイバー戦における戦略の5つの柱（The Five Pillars）を公表した頃からである。それ以前もサイバーによる他国への攻撃は行われていたが、国家間の紛争を解決する手段のひとつとして明確にされた。この中でサイバー空間を陸海空宇宙と並ぶ第5の戦場と位置づけ、既存のファイアウォールに代わる攻勢防衛、インフラの安全確保や人工知能の開発などが上げられている。さらに、2011年にはこれを確認、強化する「サイバー空間の国際戦略」がホワイトハウスから発表された。サイバー空間の脅威についても、他の脅威と同等に扱うと述べられている。つまり、軍事的脅威と同等に扱うことを明確にした。

　サイバー戦が重要な役割を持つにいたったことには理由がある。

●攻撃者絶対有利

　一般的なサイバー攻撃と同じく、サイバー戦においても攻撃者が有利である。守る側は広範な国内の全てのシステムを監視し、守らなければならないが攻撃者は、その中でもっとも脆弱な箇所に集中して攻撃するだけで済む。

●抑止力が存在しない

　従来の戦争に抑止力という概念が存在したのは、攻撃を受けると
ほぼ同時に攻撃者を特定することができたためである。サイバー攻
撃においてはすぐに攻撃者を特定することは難しい。したがって迎
撃を恐れる必要があまりない＝抑止力の低下となる。

●明確な開戦がない。現在進行形で戦闘が行われている

　攻撃者がわからない上に、「攻撃者絶対有利」ならば先に攻撃す
べきなのは明らかである。必然的にサイバー冷戦に突入しているの
が、現在である。かつての冷戦は戦火を交えない戦いだったが、サ
イバー冷戦ではサイバー空間において匿名での戦いが火ぶたを切っ
て落とされている。宣戦布告なしに、匿名の継続的な攻撃でじわじ
わと情報を盗み国力を削ぎ、来たるべき時のためにボットネットな
どの仕掛けを展開しているのだ。

　これらの特徴から明らかなように、サイバー戦においてはあらゆ
る国が全て戦時下におかれる。悠長に宣戦布告を行っていた過去の
戦争とは決定的に異なる。常に最新の攻撃ツールと防御ツールを投
入し、戦いを有利にしなければならない。攻撃を受けていないと思っ
ている国があるとすれば、それは攻撃を検知できていないだけのこ
とだ。すでに戦闘中であるとなれば、軍需産業は活況を呈するのも
道理で、参入企業は増え、商品やサービスは充実していく。

　こうした経緯を経て、サイバー空間における国家規模の攻撃と防
御に関連する商品やサービスを提供するサイバー軍需産業は誕生
し、成長してきた。

　なお、中国は 1999 年の段階で『超限戦』を発表しており、その

中にはサイバー戦も位置づけられている。アメリカは中国に 10 年遅れたことになる。

　2013 年国境なき記者団は、「デジタル傭兵の時代」と題するレポートを発表した。国境なき記者団は、表現の自由、報道の自由を守るために活動しているジャーナリストの組織である。1985 年に設立され、2002 年から「報道の自由度ランキング」を発表している。

　そのレポートには、ふたつのリストが含まれていた。ひとつは、「インターネットの敵となっている国家」13 カ国。そのうち、シリア、中国、イラン、バーレーン、ベトナムが最悪のネット監視国家として名指しされていた。国境なき記者団は、2014 年にも「インターネットの敵となっている国家」19 カ国のリストを発表しており、アメリカやイギリスがランクインしていた。もうひとつは「インターネットの敵となっている国家に協力する企業」のリストであり、政府に脆弱性情報や監視用マルウェアを提供している 5 つの企業の名前が挙がっていた。イギリスのガンマグループ、ドイツの Trovicor、イタリアのハッキングチーム、フランスの Amesys、アメリカの Blue Coat Systems である。これらの企業は、我々を監視するために活動し、政府から金をもらっている。これらの企業はこのレポートのタイトルの「デジタル傭兵」だったのだ。

　ただし、この 5 社は氷山の一角である。既存の軍需企業もサイバー分野に乗り出している。たとえば 2013 年 2 月、『ガーディアン』誌はアメリカの軍需企業レイセオンの Riot（Rapid Information Overlay Technology ）をスクープした。フェイスブック、ツイッター、Foursquare および各種ブログなどのソーシャルネットワークのデータを元にその人物の行動パターンや人間関係を割り出し、

今後の行動を予測するものであり、ソーシャルネットワークのデータを利用した監視システムと言える。

　軍需企業のトップ、ボーイング社も 2012 年頃から包括的なサイバーセキュリティソリューションの提供に乗り出している。近年ではイスラエルの NSO グループの活動がめざましい。（一田）

[関連用語]

　　『超限戦』　ハッキングチーム　ガンマグループ

　　NSO Group

[参考]

　　"Lynn Explains U.S. Cybersecurity Strategy"　U.S. Department of Defence

　　　http://www.defense.gov/news/newsarticle.aspx?id=60869

　　"International Strategy for Cyberspace"　The White house

　　　http://www.whitehouse.gov/sites/default/files/rss_viewer/
international_strategy_for_cyberspace.pdf

サイファー・パンク
暗号技術によって社会変革を目指した運動

　サイファー・パンクとは 1980 年代に始まった暗号技術の利用により、社会を変革しようとする運動である。暗号化によりプライバシーを守り、政府などの干渉を受けない自由なコミュニケーションが可能になった。匿名性も実現できる。サイバーパンクとは関係がない。

　1990年代に「サイファー・パンク」という言葉が生まれ、メーリングリストが作られ、活発な意見交換が行われ、「A Cypherpunk's Manifesto」が公開された。

　欧米においてインターネットや技術の発展は少なからず思想的運動を伴っていた。そのためIT技術者であっても、政治的、思想的なスタンスを明確に持っている人は少なくない。日本においては技術者はあくまで技術に詳しければよく、その用途や社会への影響については見識を持たないことが多いのとは対照的である。（一田）

[参考]

　　What Happened to the Crypto Dream?, Part 1（2013年4月、IEEE Security & Privacy）
　　　https://ja.wikipedia.org/wiki/ サイファーパンク # 歴史
　　A Cypherpunk's Manifesto（1993年3月9日、Eric Hughes）
　　　https://www.activism.net/cypherpunk/manifesto.html

サプライチェーン・サイバーセキュリティ
（サプライチェーン攻撃）
部品やサービスに紛れ込むスパイウェア

　サプライチェーン・サイバーセキュリティ（サプライチェーン攻撃）と呼ばれるものには2種類ある。ひとつは狙う相手が部品やサービスを調達している企業をサイバー攻撃してそこから狙う相手に侵入する攻撃、もうひとつは狙う相手が調達する部品やサービス

にマルウェアやスパイ用チップなどを仕込んでおく攻撃である。

　大手企業だと、その調達先は多数になり、必ずしも全ての企業が万全のセキュリティ対策を施しているわけではなくなる。弱い調達元を攻撃し、内部のネットワークに侵入し、そこから大手企業を狙うのである。これが前者の手口だ。一般的にサプライチェーン攻撃と呼ぶ時、こちらを指すことが多い。

　一方、近年アメリカがカスペルスキー、ZTE、ファーウェイを排斥しているのがよい例だ。アメリカ政府はロシアや中国政府に情報が渡るような仕組みがあるのではないかという疑いを持っている。今後、さらに大きな問題になる可能性のある後者について、『CISTECジャーナル』に掲載された小沢知裕（先端技術安全保障研究所所長）の２つのレポートを参照して紹介する。

　これまでに起きたサプライチェーン・サイバーセキュリティ問題は、多々ある。たとえば、1997年チェックポイント製品にイスラエルのバックドアがあるという疑惑、2008年３月のファーウェイとベインキャピタルパートナーズ（アメリカ）のスリーコム（アメリカのネットワーク関連機器メーカー）の買収の却下、複数の大手通信機器メーカー（ジュニパー・ネットワーク、シスコ、ファーウェイ）のNSA用バックドア疑惑、2015年ジュニパー・ネットワークの製品に通信盗聴を可能とするコード、2015年レノボ社製PCに問題ある挙動をする広告ソフトがインストール、2016年一部のアンドロイド・スマートフォンに72時間ごとに各種情報を中国に送るようになっていた、2018年アメリカのスーパーマイクロコンピュータのマザーボードに中国に情報を送る不正なチップなど枚挙にいとまがない。

　この問題では中国が目立っているが、同様なことはアメリカもしている。PRISM はアメリカ企業のネットサービスに潜む広義のサプライチェーン・サイバーセキュリティ問題といえるし、2015 年から 2016 年にかけて FBI がアップルに顧客の iPhone のロック解除を依頼した騒動が起きている。この騒動は裁判にまでなった。

　レポートによれば、サプライチェーン・サイバーセキュリティ対策は大きな問題を抱えている。世界のどこの国も現実的には自国製品だけで全てをまかなうことは困難であり、混入された仕組みを事前に発見することも困難である。さらに、もしアメリカ政府が通信分野で中国製品を締め出した場合、アメリカ政府対 ZTE あるいはアメリカ政府対ファーウェイというこれまでの図式が、アメリカ対中国という図式に変わる。今までもその傾向はあり、それが問題を複雑にしてきたが、それがさらに明確になる。究極の選択であるが、最終的には国家対国家の争いにはならず、折り合いを見つけることになるのだろう。実際に、ZTE への規制は緩和されている。つまり我々はなんらかの罠が仕込まれた製品を使うことがほぼ決定的ということになる。

[関連用語]
　　ネット世論操作産業　PRISM
[参考]
　　「サイバーセキュリティ企業と国家安全保障——カスペルスキー製品排斥の背景」（2019 年 3 月、CISTEC ジャーナル）
　　「サプライチェーン・サイバーセキュリティが世界を揺るがす——終わらないファーウェイ、ZTE 問題」（2019 年 3 月、CISTEC ジャーナル）

シャープパワー

ハードパワー（軍事、経済）とソフトパワー（文化）の間に位置するパワー

　シャープパワーとは、軍事力や経済力など強制力のあるパワー＝ハードパワーと、魅力的な文化や思想のパワー＝ソフトパワーの中間に位置するパワーである。中国やロシアが民主主義圏を攻撃する手法のひとつである。孔子学院もそのひとつと考えられている。

　ハイブリッド戦はシャープパワーを含み、シャープパワーにはフェイクニュースも含まれる。ネット世論操作はシャープパワーだ

ハイブリッド戦とシャープパワーの関係

ハイブリッド戦	ハイブリッド脅威	ネット世論操作	フェイクニュース	世論操作 政治介入 洗脳	シャープパワー
			SNS		
			戦略的情報漏洩		
		政党			
		組織への資金提供			
		組織的抗議運動		文化思想	ソフトパワー
		宗教			
		プロパガンダ			
		国内メディア			
		経済		経済力 軍事力	ハードパワー
	軍事行動				

が、シャープパワーにはネット世論操作のものもある。ハイブリッド戦が世界の常態となっている現在、シャープパワーの利用も増加している。関係を図示すると右記になる。

　異なる分類方法なので、統一のため本書ではハイブリッド戦の分類を統一して使用している。（一田）

[関連用語]
　　ハイブリッド戦　ネット世論操作産業
　　クレムリンのトロイの木馬
[参考]
　　The Meaning of Sharp Power How Authoritarian States
　　　Project Influence（2017 年 11 月 16 日、Foreign Affairs）
　　　h t t p s : / / w w w . f o r e i g n a f f a i r s . c o m / a r t i c l e s /
　　　china/2017-11-16/meaning-sharp-power）
　　Russian and Chinese sharp power（2018 年 7 月 8 日、The
　　　Financial Times）
　　　https://www.ft.com/content/648187ce-8068-11e8-af48-
　　　190d103e32a4）

真実の裁定者
真偽判定の責任を負うのは誰か？　本来は国民であるべきだが……

　情報が真偽を明らかにすることは、簡単なようで実はきわめて難しい。単純な数字の間違いや名称の誤りであればわかりやすいが、大きな問題となるのはそれほど単純ではない。たとえば、戦後 20

年間ドイツ国民を含む世界中のほとんどの人はアウシュヴィッツは単なる強制収容所であり、そこで行われた非人道的なことの内容を知らなかった。その時点での「真実」はアウシュヴィッツは戦時中の強制収容所のひとつであり、特別なことが行われていたわけではないということだった。事実が明らかになった時点で「真実」は書き換えられた。

　同様のことは今の世界でも起きている。ミャンマーでは政府と軍部などによるロヒンギャという少数民族に対する虐待が深刻である。国連の事実調査ミッションでもこのことは認められた他、国連人権理事会は非難決議を行っている。しかしミャンマー国内ではロヒンギャは「違法移民」であるとして迫害が続いている。日本政府はミャンマー政府の報告書を評価し、軍部と友好関係を続けている。また日本国内ではこうした国際社会の動きを伝える報道はほとんどない。ミャンマーと日本においては、国際社会とは異なる「真実」が存在している。

　こうしたことは枚挙にいとまがなく、特に政治や外交に関わることには地域や時期によって「真実」が異なる。

　毎日、莫大な量の情報がネットを流れ、それが社会に影響を与えている。迅速に「真実」を見極めて対処しなければならないのが、前述のような事情もあり、いったい誰がどのような基準で「真実」を見極める「真実の裁定者」になるのかが課題となっている。

　「真実の裁定者」たり得る可能性があるのは、政府機関（専用組織の設置や法規制など）、ファクトチェック組織、SNS業者（情報が掲載されるフェイスブックなど）である。しかし、いずれにも問題がある。政府機関の問題は政府自身が関与していた場合、事実が事

実として認められない。たとえばミャンマーではロヒンギャ迫害は
ないことになってしまう。ファクトチェック組織は市民あるいはメ
ディアが運用するものであるが、日々の莫大な量の情報に対処でき
る体制を持っている組織はなく、仮にあったとしてもその正当性を
担保する方法がない。SNS事業者はファクトチェックのための仕組
みを用意しつつある。だが、それは自分たちで行うというよりは、
外部のファクトチェック組織を支援する形である。事業としてSNS
を運用する彼らは自身が「真実の裁定者」となりたくはない。そこ
までの責任は持てないし、持ちたくないのである。

　なお、AIによって情報の真偽を判別する試みも行われているが、
論理的に破綻しているので期待できない。AIが基準とすべきものを
設定できない。大手メディアでの報道内容や文章の書き方などを元
にすることがあるが、大手メディアの記事が正しいとは限らない。
たとえば『ニューヨーク・タイムズ』は同紙記者が書いた盗用や捏
造した記事30本以上を掲載していた（2003年のジェイソン・ブレ
ア事件）。ロシアがSNSに投稿したプロパガンダを世界の3000の
メディアが紹介していたことも明らかになっている。そのため大手
メディアの記事を元に判断しても誤謬は避けられない。

　仮にAIが「真実の裁定者」となった場合、そこには当然アルゴリ
ズム・アカウンタビリティが生じ、アルゴリズムの公開が必要とな
るが、ディープラーニングによって作られた真偽判別を行うアルゴ
リズムを人間に理解可能な形で提示するには難しい上、万人の同意
を得るのはさらに難しい。

　なお、世界全体では実態としての「真実の裁定者」は政府である
ことが多い。「完全な民主主義」の国ではそうではないが、それ以外

の国では政府に多くの権力が集中しており、その結果、政府が真偽を判別できる状況にある。そして「完全な民主主義」の国は人口では世界の4.5%、GDPでは20%以下であり、少数派なのである。アジア、ラテンアメリカ、アフリカではそれぞれの国のファクトチェック組織やジャーナリストたちは文字通り命をかけて政府とは異なる国際的な基準での真偽判定に挑んでいる。（一田）

[関連用語]

　　ファクトチェック　ファクトチェック組織　フェイクニュース
　　ロヒンギャ問題　アルゴリズム・アカウンタビリティ

[参考]

　　フェイクニュース対策に潜む根本的問題（1）定義の不存在（2019年9
　　　月21日、一田和樹、ファクトチェック・イニシアチブ、https://fij.
　　　info/archives/2934）
　　フェイクニュース対策に潜む根本的問題（2）「真実の裁定者」は誰か
　　　（2019年9月21日、一田和樹、ファクトチェック・イニシアチブ、
　　　https://fij.info/archives/2960）

チャイナモデル（SkyNet、Sharp Eyes）
世界に輸出される「独裁者向けツールキット」

　中国やロシアは自国で運用しているネット世論操作システムを海外に販売している。これらはそれぞれチャイナモデル、ロシアモデルと呼ばれる。ここではチャイナモデルについて紹介する。

　SkyNet とは、2005 年に中国公安部（MPS）と情報化部（MIIT）が共同で設置した監視カメラ（CCTV）ネットワークである。2010 年には北京に 80 万台の監視カメラが設置されており、北京警察は 2015 年に完全な監視網を構築したと発表した。中国全体では 2000 万台以上の監視カメラが稼働している。2020 年までに中国全土を完全に網羅し、制御下におくようにするとしている。

　Sharp Eyes イニシアティブとは、SkyNet に加えて国民のスマートフォンやスマート TV、自動車まで統合した監視システムである。リアルタイムの監視データ量は莫大なものとなり、AI によって処理される。

　中国国内での「社会信用システム（Social Credit System）」は Sharp Eyes と連動する予定で開発が進んでいる。銀行口座、病歴、リアルタイムの行動記録、ネット活動などあらゆるものを監視し、スコア化する。デジタル機器を持っていなくても監視カメラの顔認証システムがリアルタイムで誰であるかを特定し、行動を記録する。徹底した監視システムは「独裁者向けツールキット」（リチャード・フォンテイン、カラ・フレデリックによる命名）と呼ばれる由縁である。

　中国の一部の住民に対して行われた弾圧「厳打」キャンペーンでこれらのシステムは大規模な弾圧に利用された。現在でも 100 万の人々がさまざまな施設に抑留されている。ネットや SMS の遮断、生体センサーや網膜カメラの設置、DNA の採取、網膜情報の取得、スマホへのスパイウェアのインストール、自動車へのナビゲーションシステムのインストール、CCTV でカバーできないエリアへの鳥に似たドローンの配置など、最新のデジタル技術が投入された。

この中国の包括的ネット世論操作システムは世界に輸出されている。(一田)

[関連用語]
　ネット世論操作産業　ハイブリッド戦
[参考]
　　世界に拡大する中露の監視システムとデジタル全体主義(2019年10月
　　　7日、ハーバービジネスオンライン)
　　　https://hbol.jp/203465
　　Exporting digital authoritarianism　The Russian and
　　　Chinese models（2019年8月、ブルッキングス研究所)
　　　https://www.brookings.edu/research/exporting-digital-
　　　authoritarianism/

ディープウェブ、ダークウェブ
匿名化されたネット

　通常、インターネットで利用できるサービスは検索エンジンなどから容易にたどりつくことができる。これに対して方法を知らなければ閲覧できないものをディープウェブと呼ぶ。パスワードで保護されているサイト、ウェブメールなどがそうだ。ディープウェブは、一般に利用できるインターネットよりもはるかに多く、数千倍と言われる。
　このディープウェブの中でも特別なツールを使わないとアクセスできない空間がダークウェブである。Torといった匿名化通信ツー

ルを使ってしかアクセスできない。

　通信が匿名化されるため言論統制や検閲を逃れての情報を共有、提供に利用されている他、違法な用途にも使われる。非合法に取得した情報などの売買、犯罪の依頼、児童ポルノの共有などである。特に児童ポルノの人気は高いと言われており、過去にFBIが何度も作戦を行っている。（一田）

[関連用語]
　　シルクロード　プレイペン

ディープフェイク
AIが作り出すリアルと見分けのつかないフェイク動画

　ディープフェイクは、AI（ディープラーニング）を利用して作られた動画などを指す。本来の意味は別にあり、静止画も含めて指すこともあったが、最近ではもっぱら動画を意味するようになってきた。

　従来と比較すると、少ない情報と手間で本物と見分けのつかない音声付きの動画を作成できるため、その影響に危惧がひろがっている。

　ディープフェイクの多くはポルノと言われているが、ネット世論操作に利用されるケースもある。選挙の際に候補者のディープフェイク動画がネットに流布されるようなことも増加するであろう。フェイクニュースに比べて、動画という点で信じてしまう人がさら

に多くなる危険がある。

　フェイスブックは 1000 万ドルを投じてディープフェイク識別コンテストを開催し、本格的な AI 対 AI のいたちごっこが始まった。（一田）

[関連用語]
　フェイクニュース
[参考]
　ディープフェイクは「ほぼポルノ」、フェイクニュースとは無関係（2019 年 10 月 10 日、ASCII.jp）
　https://ascii.jp/elem/000/001/954/1954145/
　Facebook が 10 億円超を投じてディープフェイクの識別に賞金（2019 年 9 月 06 日、TechCrunch）
　https://jp.techcrunch.com/2019/09/06/2019-09-05-facebook-is-making-its-own-deepfakes-and-offering-prizes-for-detecting-them/

テイクダウン
サーバなどを停止

　サーバなどを停止させることをテイクダウンと呼ぶ。警察などの法執行機関がボットネット、詐欺に用いられているサーバなどを停止することを指すことが多い。（一田）

デュアルユース・テクノロジー

社会のあり方を変えるストーカーウェアや
AI監視システムなどのデジタル監視技術

　善用と悪用のどちらにも使える技術のことをデュアルユース・テクノロジー（Dual-Use Technologies）と呼ぶ。日本語だと諸刃の剣のようなものである。IT技術ではこれに該当するものが多い。ネットワークトラフィックに関するもののほとんどは、ネットの監視、検閲に使うこともできるので、民主主義的世界観では悪用できるものになる。ストーカーウェアは、子供を守るアプリと言い換えることもできる（実際、そうしている業者がある）。人権擁護の立場を取る人々からは、デュアルユース・テクノロジーは人権侵害に繋がる可能性が高いという指摘をされている。

　両用できることは技術そのものに問題があるわけではないと考えがちだが、悪用された場合に被害が出るものは規制の対象となる。一部の化学物質や薬品などと同じである。

　サイバー技術や製品でも軍事転用可能なものについては規制がある場合が増えている。しかし技術や製品の進化やリリースが早く規制が追いついていない。さきほどのストーカーウェアはその例のひとつだ。

　デジタル監視技術関連の製品やサービスも同様である。しかもこちらは民主主義圏以外の国から国へ販売されるものなので規制が難しい。

　近年、これに関する問題を指摘する声が増えており、カナダのシチ

ズンラボ は 2019 年 9 月 5 日に「Annotated Bibliography Dual-Use Technologies」を公開した。この資料では DPI（deep packet inspection）、フィルタリング、侵入の 3 つについて、ブルーコートシステムズ、Newsweeper、Sandvine、FinFisher Gmb&FinSpy（ガンマグループ）、RCS（ハッキングチーム）、Pegasus（NSO グループ）などを取り上げている。（一田）

[関連用語]
　　シチズンラボ　ハッキングチーム　ガンマグループ
　　NSO グループ　シチズンラボ　ネット世論操作産業
[参考]
　　Annotated Bibliography Dual-Use Technologies(2019 年 9 月 5
　　日、シチズンラボ)
　　https://citizenlab.ca/2019/09/annotated-bibliography-
　　dual-use-technologies-network-traffic-management-and-
　　device-intrusion-for-targeted-monitoring/

透明性レポート
アマゾンやLINEなどが法執行機関などから
情報開示の要請を受けた記録

　透明性レポートとは法執行機関などからの情報開示要求とその対応についてまとめたレポートである。たとえば何者かが犯罪予告をツイートした際、警察がツイッター社に情報開示を請求したような

ことがまとめられている。通常は個別の詳細は含まれず、国別、組織別、内容別の請求と対応の統計情報が公開される。その内容は企業によって異なる。

　LINE では「捜査機関からのユーザ情報開示・削除要請」「メッセージ及び通話における暗号化の適用状況」の 2 つがあり、それぞれ次のような内容を含んでいる。

◉捜査機関からのユーザ情報開示・削除要請

　要請件数、対応の割合、対象回線数、捜査機関、国別要請対応状況、内容。

　たとえば 2019 年 1 ～ 6 月期のレポートでは、要請件数 1625 件、対応割合 79%、対象回線数 1601 回線、捜査機関 88% が日本の捜査機関であった。国別で見ると、日本は 1422 件の要請があり、令状を伴うものは 1136 件、捜査関係事項照会 3 件、緊急避難 4 件、対象回線数 1403 本となっている。次いで多いのは台湾（要請件数 159 件）、韓国（要請件数 36 件）となっている。

　内容は児童被害の 34% がもっとも多く、金銭被害 23%、人身被害 15% などとなっている。

　この期間は削除要請はなかった。

◉メッセージ及び通話における暗号化の適用状況

　LINE の通信暗号化状況の解説である。

　グーグルでは「セキュリティとプライバシー」「コンテンツの削除」「追加レポート」の 3 つに分け、それぞれ次の内容を記載している。

●セキュリティとプライバシー

ユーザー情報のリクエスト

セーフ ブラウジング：不正なソフトウェアとフィッシング

ウェブ上での HTTPS 暗号化

アンドロイド・エコシステムのセキュリティ

●コンテンツの削除

著作権問題によるコンテンツの除外リクエスト

政府からのコンテンツ削除リクエスト

欧州のプライバシー法に基づくコンテンツの除外リクエスト

YouTube コミュニティ ガイドラインの 適用について

Network Enforcement Law に基づく削除（ドイツの法律 NetzDG に基づく削除）

●追加レポート

グーグルでの政治広告

グーグルへのトラフィックとアクセス不能状況

　アマゾン、アップル、LINE など多くの IT 企業が定期的に透明性レポートを公開している。

　もちろん、これらのレポートには PRISM へのデータ提供などは含まれていない。（一田）

［関連用語］

　　PRISM

日本国内のネット世論操作
誰も調べないうちに広がるネット世論操作

　日本でもネット世論操作が行われている。選挙においてフェイクニュースが流れるのは増加しており、朝日新聞は2018年の沖縄県知事選に先立って行われた名護市長選について、クリムゾン・ヘキサゴン社のSNS分析ツールを使い、フェイクニュースが流され、SNS上で拡散する過程を分析した。

　現在、日本国内で行われているネット世論操作には大きく3種類あると考えられる。

◉早期警戒システムによる都合の悪いネットでの発言の封じ込め

　自民党は電通を通じてIT企業に協力を依頼し、ネット上で問題となる投稿を早期に発見し、サービス提供社に通報し、削除させる仕組みT2を作り上げた。投稿の内容が法律あるいは規約に反する疑いのある場合に限られる。これが問題であるのは、自民党以外の政党にはできないからである。ネット上で政党や政治家を法律や規約を破って攻撃する行為を通報すること自体が問題ならば全般を取り締まればよい話である。「報酬を支払って都合のよい発言や動画の投稿を依頼」が主として野党を攻撃し、自民党に賛同するために使われていることからも自民党にだけ早期警戒システムがあることによる問題はより深刻だ。

◉報酬を支払って都合のよい発言や動画の投稿を依頼

　クラウドソーシングで保守的なコメントや野党の批判を行う発

言、動画を投稿する仕事を依頼していたことが発覚した。

●ボットを用いた都合のよい発言の拡散

　SNSでボットを用いて意見を拡散していた可能性が高いことがドイツの研究者によって明らかになった。

　自民党には自民党ネットサポーターズクラブ（J-NSC）という組織もある。およそ2万人の会員がいる。自民党あるいは所属する議員を応援する自民党公認組織である。入会にあたって自民党員である必要はない。

　日本青年会議所が2018年、「宇予くん」というキャラクターを使ってツイッター上で、共産党やNHK、朝日新聞など現政権を批判する組織や中国、韓国を攻撃する発言を繰り返していた事件もあった。発言内容は、「関係ない機関・団体その他への誹謗中傷や品性を欠いた内容」（同団体ホームページのお詫びにある表現）だった。さらにその後、組織的な関与を疑わせる内部資料が流出し、あえて炎上を狙っていたことも暴露されて話題となった。

　日本に住む我々が日本で行われているネット世論操作について、ほとんど知らないのは誰も調査せず、報道しないためだ。ごく限られた調査や報道が行われているだけである。世界中で行われているのに日本だけ行われていないはずはなく、調査も報道もほとんど行われていないのは、むしろ深刻な危機的状況にあると考えるのが妥当である。（一田）

[関連用語]

ネット世論操作産業　ボット、トロール、サイボーグ

［参考］

選挙戦、ネットのデマ警戒（2018 年 9 月 16 日、朝日新聞）
　https://www.asahi.com/articles/DA3S13681113.html
「沖縄は、日本のフェイクニュースの最前線」　メディアの世界会議でファ
　クトチェックを報告（2019 年 12 月 8 日、沖縄タイムスプラス）
　https://www.okinawatimes.co.jp/articles/-/508008
『情報参謀』（2016 年 7 月 20 日、小口日出彦 、講談社現代新書）
Japan's 2014 General Election: Political Bots, Right-Wing
　Internet Activism, and Prime Minister Shinz? Abe's Hidden
　Nationalist Agenda（2017 年 11 月 4 日、Schafer, F., Evert, S.
　and P. Heinrich、Mary Ann Liebert,Inc "BIG DATA Volume
　5"）
　http://comprop.oii.ox.ac.uk/research/academic-articles/
　japans-2014-general-election-political-bots-right-wing-
　internet-activism-and-prime-minister-shinzo-abes-
　hidden-nationalist-agenda/
クラウドソーシングで保守系コメントの書き込み発注、1 件 30 円 「テ
　レビや新聞の偏向報道が許せない方」に依頼（2017 年 9 月 26 日、
　BLOGOS）
　http://blogos.com/article/248533/
野党を叩き嫌韓を煽るブログ記事や YouTube 動画、1 本数十円のク
　ラウドソーシングで大量生産されていた（2017 年 9 月 22 日、バザッ
　プ！）
　https://buzzap.jp/news/20170922-anti-opposition-party-
　blog-movie-crowdworks/
日本のネットを埋め尽くす「拡散装置」が誘導する日本の右傾化の構図
　（2018 年 6 月 20 日、ハーバービジネスオンライン）
　https://hbol.jp/168643
「右寄りアカウント」フォロワーの大半はボットとサイボーグの可能性
　（2018 年 11 月 15 日、現代ビジネス）
　https://gendai.ismedia.jp/articles/-/58389

お詫び（2018 年 2 月 28 日、日本青年会議所）
　　http://www.jaycee.or.jp/2018/topic/01topicnotice/2243
「左翼を意識し、炎上による拡散を狙う」青年会議所キャラ「憲法改正
　　の草の根議論」を目指していたが…（2018 年 3 月 1 日、BuzzFeed
　　News）
　　https://www.buzzfeed.com/jp/kotahatachi/uyokun2
自民党ネットサポーターズクラブ
　　https://www.jimin.jp/involved/j_nsc/

ネット世論操作産業
社会を監視、統治するパッケージシステム

　ネット世論操作産業という言葉は筆者の造語であり、確立された
定義があるわけではない。世論操作を行うためのネット上の活動を
指す広義の言葉であり、フェイクニュースやヘイト、監視、検閲、
シャットダウンなど広い範囲を指す。ネット世論操作の主たる標的
は選挙などの政治的活動の支援あるいは妨害であり、政府や政治
家、政党から予算が私企業や市民やインフルエンサーに流れてい
る。ネット世論操作に関わる活動は大きく 3 つに分類できる。

①拡散活動 ＝ 攻撃、支援　フェイクニュースなど誤情報や偏った情
報、特定の意見のサポートや攻撃、ヘイトの拡散
　SNS やウェブサイト、ブログなどを使って誤情報や偏った情報、
特定の意見のサポートや反対、ヘイトを拡散する。ボット、サイボー

グ、トロールなどを駆使する。

②監視活動＝抑制、防御　発言、投稿の監視、検閲、抑制、ネットのシャットダウン

　対象の活動の監視、投稿の検閲、抑制などを行う。多くの場合は、監視システムやアプリをベースにしている。インターネットそのものあるいは特定のサービスを遮断して言論を封殺することも含まれる。政権が反対勢力を抑えるために用いることもある。

③関連分野　上記に関連する活動

　広告の出稿、ネットショップの運営、ホームグロウンへの支援など。企業によっては社会信用システムの構築と運用を請け負うこともある。

　これらの活動を支援する産業は大きく２つに分けられる。

●拡散ビジネス＝拡散、支援、関連するツール、サービスの提供

　アカウント販売、ボット、トロール、サイボーグ運用、ホームグロウンリクルーティング＆育成、サイト運用（メッセージを発信するサイトからローカルニュースサイト、ネットショップなど一見無関係のサイト運用までさまざま）、広告出稿（フェイスブック、グーグルなどに広告を出稿する）などの活動を行う。なお、ホームグロウンとは、ネット世論操作を仕掛ける相手の地元あるいは組織に所属する人間を指し、それらを感化、洗脳し、手先として使う作戦が行われている。この産業については、すでにいくつかレポートが公開されてじょじょにわかってきている。

「世界の偽情報2019——組織化されたソーシャルメディア操作便覧（The Global Disinformation Order: 2019 Global Inventory of

Organized Social Media Manipulation)」によるとメッセージの発信、拡散を受託している私企業および個人や団体が存在する国の数は39カ国（私企業27カ国＋市民とインフルエンサー20カ国、そこから重複を除いた）で、その企業および個人の数は53以上である。このレポートがカバーしているのは拡散ビジネスなので、少なくとも世界39カ国で拡散ビジネスを展開している企業がのべ53以上存在すると言える。参入企業の事例などは後述の表を参照いただきたい。

◉監視ビジネス＝発言、投稿の監視、検閲、抑制、ネットのシャットダウン、ツールの提供

　政府機関へのツール提供、監視システム提供、SNS分析システム提供、監視＆検閲代行、スパイウェアの販売、スパイウェアの配布＆運用などが上げられる。また、これらを統合運用するためのシステムも存在する。

　監視ツールは個人でも購入可能な手軽なものから政府が導入するような大規模運用可能なものまでさまざまなものが存在し、その数は増えている。大規模な運用が可能なものでは情報漏洩事件で有名になったガンマグループやハッキングチームなどが有名である（『犯罪「事前」捜査』）。近年はイスラエルのNSOグループが人権侵害を行う複数の政府によって利用されていることが暴かれた。

　個人向けの監視ツールも広く世に出回っており、これらが社会の監視に用いられることもある。「スマートフォンがストーカーに使用され、家庭内の虐待被害者をコントロール（Smartphones Are Used To Stalk, Control Domestic Abuse Victim）」（NPR）によると、アメリカの団体が国内72カ所の家庭内暴力シェルターを調

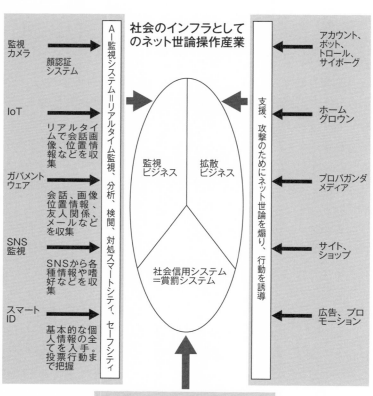

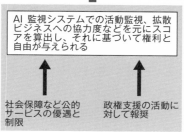

査したところ、85％の被害者がGPSで追跡されていた。また、「Spying Inc.」によれば、アメリカの家庭内暴力センターは加害者が被害者のコンピュータ利用を監視しており、54％はスマホにスパイウェアをインストールしていた。これらの監視ツールは家庭内暴力だけではなく、さまざまな用途に用いることが可能で、テロリストが攻撃対象を監視するために用いることもできる。これらのアプリと産業については、シチズンラボの「ポケットの中の捕食者——監視アプリ産業の学際的評価（The Predator in Your Pocket A Multidisciplinary Assessment of the Stalkerware Application Industry）」にくわしい。

こうした個人向けアプリ（FlexiSpy）に手を加えたものを監視ツールベンダが使っていることをハッキングチームの元従業員が暴露している。なお、FlexiSpyのメーカーは2012年からOEM販売を開始している。ハッキングチームもFlexiSpyやmSpyといった安価な個人向けアプリを購入して研究していたことも明かされている。政府が使用する監視ソフトも個人が利用するスパイウェアもシームレスにつながっている（『犯罪「事前」捜査』）。

近年はパッケージとして政府がネット世論操作を行うためのインフラ全体の販売も広がっている。代表例は中国のZTEとファーウェイだ。国内に設置する監視カメラ、顔認証システム、通信盗聴、SNS監視分析といった監視ビジネスと、政府の主張を支援し反対者を封殺する拡散ビジネスを国民のスマートIDなどを利用して総合的に行う。

大規模かつ総合的なネット世論操作システムは社会インフラのひとつとして機能し、その導入と運用の費用は莫大である。中国は一

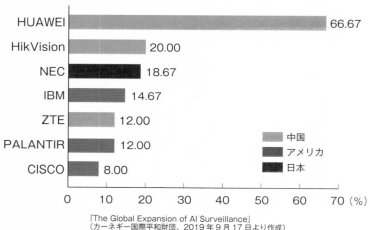

AI 監視システム世界市場シェア

HUAWEI	66.67
HikVision	20.00
NEC	18.67
IBM	14.67
ZTE	12.00
PALANTIR	12.00
CISCO	8.00

凡例：中国　アメリカ　日本

0　10　20　30　40　50　60　70 (%)

『The Global Expansion of AI Surveillance』
（カーネギー国際平和財団、2019 年 9 月 17 日より作成）

帯一路構想に沿って資金を貸与する形で提供している。ネット世論操作産業は、ハイブリッド戦の最前線で経済的支配とネット世論操作による情報の支配を同時に実現する。

　こうしたビジネスの核となる技術は AI である。莫大な量のデータをリアルタイムで処理する必要があり、末端では顔認証システムや SNS 監視分析に AI が用いられ、全体としては国民ひとりひとりの行動監視とレイティングに用いられる。現在、AI 監視システムでは中国のファーウェイが最大のシェアであり、上位 5 位にファーウェイ、HikVision、ZTE と中国企業 3 社がランクインしている。（一田）

[関連用語]
　ハイブリッド戦　サイバー軍需産業　チャイナモデル

インターネット・リサーチ・エージェンシー（IRA）

［参考］

Smartphones Are Used To Stalk, Control Domestic Abuse Victim（Aati Shahani, 2014 年 9 月 15 日 , NPR）

Spying Inc.（DanielleKeats Citron, 2015,Washington and Lee L Rev）

The Predator in Your Pocket A Multidisciplinary Assessment of the Stalkerware Application Industry（2019 年 6 月 12 日）https://citizenlab.ca/2019/06/the-predator-in-your-pocket-a-multidisciplinary-assessment-of-the-stalkerware-application-industry/

世界 70 カ国で蔓延する政治家・政党による「ネット世論操作」。それらを支援する企業の存在（2019 年 10 月 19 日、一田和樹、ハーバービジネスオンライン）

https://hbol.jp/204469）

世界に蔓延するネット世論操作産業。市場をリードする ZTE と HUAWEI（2019 年 10 月 21 日、ハーバービジネスオンライン）https://hbol.jp/204608

激動のベネズエラ。斜陽国家の独裁者を支持すべく、暗躍するネット世論操作の実態（2019 年 2 月 27 日、ハーバービジネスオンライン）

HUAWEI アニュアルレポート（2017 年度、2018 年度）

Special Report: How ZTE helps Venezuela create China-style social control（2018 年 11 月 14 日、ロイター）https://www.reuters.com/article/us-venezuela-zte-specialreport/special-report-how-zte-helps-venezuela-create-china-style-social-control-idUSKCN1NJ1TT）

#InfluenceForSale: Venezuela's Twitter Propaganda Mill（2019 年 2 月 3 日、デジタル・フォレンジック・リサーチラボ）https://medium.com/dfrlab/influenceforsale-venezuelastwitter-propaganda-mill-cd20ee4b33d8）

The Global Expansion of AI Surveillance（2019 年 9 月 17 日、
　カーネギー国際平和財団）
　https://carnegieendowment.org/2019/09/17/global-
　expansion-of-ai-surveillance-pub-79847）

Reckless シリーズ（最新は 2019 年 3 月 20 日、シチズンラボ）
　https://citizenlab.ca/2019/03/nso-spyware-slain-
　journalists-wife/

ハイブリッド戦
現代の戦争において軍事行動は主役ではない

　世界の戦争は軍事兵器を駆使するものから、国家のあらゆる活動
＝経済、政治、宗教、文化などを兵器とし、相手国を支配し、操る
ために用いる戦いに移行している。こうした活動の多くは匿名化さ
れ、攻撃者を特定しにくい。サイバー攻撃はその最たるものである。
軍事行動でも自国の兵士を義勇軍のように偽装させて他国に送り込
むこともある（クリミア侵攻など）。

　ハイブリッド戦においてはあらゆるレベルでの戦争が可能として
いる。従来の戦争は国家対国家であったが、現代においては国家対
テロ集団も戦争になり得る。

　この表は NATO と EU が 2017 年に設立したハイブリッド脅威セ
ンターが 2019 年 5 月 9 日に発表した「ハイブリッド脅威への対処
（Addressing Hybrid Threats）」に掲載されているハイブリッド
脅威のリスト（多少の重複もある）をもとに作成した。

従来の戦争の中心だった軍事行動は一部を占めるに過ぎない。ハイブリッド戦から軍事活動を除くとハイブリッド脅威となる。ロシア軍参謀総長ゲラシモフによると現在の戦争における比重は4:1でハイブリッド脅威の方が従来の軍事行為よりも高い。

　ハイブリッド戦においてSNS世論操作の重要度は増している。その大きな理由は匿名性が高く、戦闘のあらゆる局面で利用可能、成功した際には大きな打撃を与えられ、そしてコストとリスクが少ないことがあげられる。

　ハイブリッド戦のもとになる考え方は1999年、中国のふたりの軍人が発表した『超限戦』で明示され、2014年に発表された新しいロシアの軍事ドクトリンでははっきりと戦闘の定義が拡大されており、なおかつ非軍事兵器の重要さが示されている。ロシアは、「ソビエト連邦は核兵器競争では負けなかったが、西側の世論操作で崩壊した」と考えているのだ。

　中国の『超限戦』からゲラシモフ・ドクトリン、そしてロシアの軍事ドクトリンへと続く流れは、現代の安全保障あるいは軍事が、あらゆるものを兵器としてとらえた統合的な戦いを想定しなければ成立しないということを示している。少なくとも対中国、対ロシアでは軍事と経済などその他の側面を個別に考えていては適切な対処ができない。そして最近注目を浴びているサイバー攻撃、情報戦も攻撃の多様な選択肢のひとつでしかない。

　2015年にはEUがロシアのフェイクニュースに対抗するために"East StratCom Team"を発足させ、2017年にはEUとNATOがハイブリッド脅威センターを設置することとなった。

　2018年7月に開催された北大西洋条約機構（NATO）サミット

フェイクニュース、ネット世論操作、ハイブリッド戦の関係

ハイブリッド戦	ハイブリッド脅威　戦闘全体の75%	ネット世論操作	フェイクニュース	アメリカ大統領選挙で猛威をふるったフェイクニュース。本書のテーマでもある
			SNS	フェイスブック、ツイッターなどを利用した世論操作
			戦略的情報漏洩	アメリカ大統領選期間中に民主党とヒラリーからサイバー攻撃によって盗み出した情報を公開したような情報漏洩。公開先としてロシアとの関与を疑われているウィキリークスが使われた
		サイバーツール		サイバー攻撃、諜報活動、情報改竄、乗っ取りなど
		政党		相手国内の政党への支援
		組織への資金提供		シンクタンクの組織などを使ったPR
		組織的抗議運動		資金提供や扇動
		財閥		ロシアの新興財閥（オリガルヒと呼ばれる）を利用してビジネス、政治などさまざまな影響力を拡大
		プロパガンダ		政権の広報に利用する
		国内メディア		国内メディアは国内だけでなく同時に国外にも発信、情報操作に使う
		宗教		ロシアはロシア正教会との関係を強化し、ヨーロッパ諸国に対する影響力を強める。ギリシャの政党黄金の夜明けは、ことあるごとにロシア正教会との関係に言及している
		経済		経済制裁、経済依存度をあげて逆らいにくくするなど
		代理戦争		直接戦争することなく、他国などを代理にして戦争する
		匿名戦争		代理戦争のうち、正体がわからない戦争
		ツールの同期		ハイブリッド戦のツールをタイミングよく使い分け、連動させることで、より高い効果をあげ、避けにくいようにする
		非合法軍事組織		正規の軍隊ではなく、私的グループを装った軍事組織
	軍事行動　戦闘全体の25%			

（『フェイクニュース 戦略的戦争兵器』［2018 年 11 月 10 日　角川新書］より抜粋）

後の宣言では、ロシアからのフェイクニュース（disinformation campaigns）を始めとするハイブリッド戦の脅威にさらされていると明確に記載された。（一田）

[関連用語]
ネット世論操作産業　East StratCom Team
ハイブリッド脅威センター　フェイクニュース　『超限戦』

ファクトチェック
事実の検証は必要だが、フェイクニュースを止める手段にはならない

　ファクトチェックとはニュースなどの情報の検証を行い、真偽を判定し、公開することを指す。そのためフェイクニュースと対の存在と言える。しかし、別項のようにフェイクニュースという言葉は多義的に用いられており、それに対してファクトチェックは通常は事実検証あるいは論理的整合性をチェックできるものに限られる。

　フェイクニュース対策として必ずファクトチェックがあげられ、必須のものとなっている。ただし、その効果は限定的であり、決め手にならないどころかほとんど役に立たないことも少なくない。特にフェイクニュースを一部とする広範なネット世論操作作戦に対しては効果が低い。ネット世論操作の対策に関するレポートの多くは総合的な対策が必要とし、その中にファクトチェックも含んで

いるものが多い。たとえば EU の「フェイクニュースとオンライン上の偽情報に関する高度専門家グループの最終報告（Final report of the High Level Expert Group on Fake News and Online Disinformation）」では、2018 年の報告書で、5 つの多元的対応（multi-dimensional approach）をあげ、これに基づいて EU が公開した 7 つの対応の 2 つ目がファクトチェック組織のネットワークとなっている。

　ウソは事実よりも早く広範囲に広がることが研究結果（「The spread of true and false news online」）からわかっており、いくら事実を公開してもウソほど共有されない。また、伝播速度がウソよりも大幅に遅いため、選挙など期間が定まっているものの場合は事実が広まる前に選挙が終わってしまうことも起こり得る。コストや時間もフェイクニュース作成よりファクトチェックの方がかかり、読み手にも一定以上のリテラシーがないと理解してもらえない（機能的識字能力も参照）。

　根本的な問題として、歴史認識などの複雑かつなにが事実であったか専門家の間でも意見が分かれるような問題の場合、誰がどのように「事実」認定すべきかという「真実の裁定者」問題がある。

　結果としてファクトチェックは必須ではあるが、決め手にはならず直接的な効果は期待できないことになる。そのため、他のさまざまな方策と組み合わせた体制で望むしかない。ファクトチェックは、労多くして功少ない仕事であるが、その必要性と意義のために矜持を持って取り組むジャーナリストやメディアなどによって支えられている。（一田）

ウソと事実の比較

項目		ウソ	事実
MIT	拡散力	100,000 以上	1,000 程度
	深度	19 以上	10 程度
	伝播速度	最大 20 倍速い	
インパクト		大	小
記事作成時間		短い	長い
記事作成コスト		安価	高価
要求識字能力		低	高

『フェイクニュース　新しい戦略的戦争兵器』より作成。MIT は MIT 調査結果からの引用

[関連用語]

ネット世論操作産業　ファクトチェック組織　フェイクニュース　機能的識字能力　真実の裁定者

[参考]

The spread of true and false news online（2018 年 3 月 9 日、Soroush Vosoughi1, Deb Roy1, Sinan Aral、Massachusetts Institute of Technology（MIT）, the Media Lab、Science）http://science.sciencemag.org/content/359/6380/1146)

Final report of the High Level Expert Group on Fake News and Online Disinformation（2018 年 3 月 12 日、EU）https://ec.europa.eu/digital-single-market/en/news/final-report-high-level-expert-group-fake-news-and-online-disinformation)

ファクトチェック組織

ファクトチェックを行うメディアや市民の組織
SNS企業からの支援も多い

　アメリカ、デューク大学 Reporters' Lab によると、2019 年 11 月 25 日時点で世界のファクトチェック組織は活動中のものが 226 である。ファクトチェック組織の数は Reporters' Lab が最初に調査した 2014 年に比べると 5 倍に増えている。なお、組織数のカウントに当たっては、AFP のように支局で独自のファクトチェッカーを抱えている場合は支局ごとに 1 とカウントしている。

　ファクトチェック組織の多くは『ワシントン・ポスト』など大手メディアそのもの、あるいはメディア関係者の連携となっている。連携の方法は、PolitiFact や Pop-Up Newsroom のように方法論（レイティングなど）やコンテンツ、トレーニング、ツールなどを共有する方法、フランスの CrossCheck やメキシコの Verificado2018 のように選挙のようなイベントの際に共同でファクトチェックに当たる方法などさまざまである。

　独立系組織では、FactCheck.org、PolitiFact、Full Fact、Snopes などがある。

　インターネット関連企業がファクトチェック組織を支援するプログラムもある。グーグル、ツイッター、フェイスブックなどが運営している First Draft や、フェイスブックの fact-checking program はその代表例である。ただし、そこには課題も多い。たとえば、イギリスの『ガーディアン』誌は繰り返し、フェイスブックの fact-

checking program の問題を指摘し続けている（くわしくは［参考］
の URL の記事を参照）。

　フェイスブックの項目に書いたようにフェイスブック・グループ
の利用者ののべ人数は 63 億人（2018 年の世界人口がおよそ 76 億
人）である。リアルタイムで 63 億人にリーチするサービスがネッ
ト上の情報発信、流通の中心となっているのは自明であり、その組
織自身が企業としての収益を上げながらもファクトチェックを行う
ことに疑問を持つ人もいるし、アメリカ企業としての価値観と各国
の文化の価値観に離齬が生じることもある。課題は多い。（一田）

［関連用語］
　　ファクトチェック　真実の裁定者　フェイクニュース
　　フェイスブック
［参考］
　　U.S. fact-checkers gear up for 2020 campaign
　　　https://reporterslab.org/category/fact-checking/
　　JOIN THE POLITIFACT NATION
　　　https://www.politifact.com/partnerships/
　　Pop-Up Newsroom
　　　https://popup.news
　　#Verificado2018: Mexican media unites to fight mis and
　　　disinformation ahead of historic elections（2018 年 5 月 12 日、
　　　MEDIUM）
　　　https://medium.com/popupnews/verificado2018-
　　　mexican-media-unites-to-fight-mis-and-disinformation-
　　　ahead-of-historic-elections-6ff34c72cbb7
　　First Draft

https://firstdraftnews.org

News Lab in 2017: the year in review（2017 年 12 月 17 日、グーグル）

https://blog.google/outreach-initiatives/google-news-initiative/news-lab-year-in-review/

ガーディアン誌によるフェイスブック fact-checking program 追及

Facebook's only Dutch factchecker quits over political ad exemption（2019 年 11 月 27 日、ガーディアン）

https://www.theguardian.com/technology/2019/nov/27/facebook-only-dutch-factchecker-quits-over-political-ad-exemption

Facebook fact checkers did not know they could vet adverts（2019 年 10 月 26 日、ガーディアン）

https://www.theguardian.com/technology/2019/oct/26/facebook-fact-checkers-paid-adverts-misinformation-mark-zuckerberg-congress

Facebook to fact-check ads of politician challenging fact-check policy（2019 年 10 月 30 日、ガーディアン）

https://www.theguardian.com/technology/2019/oct/30/facebook-to-keep-fact-checking-pac-boss-who-tried-to-skirt-rules

Facebook teams with rightwing Daily Caller in factchecking program（2019 年 4 月 18 日、ガーディアン）

https://www.theguardian.com/technology/2019/apr/17/facebook-teams-with-rightwing-daily-caller-in-factchecking-program

他多数

フィルターバブル
アルゴリズムが誘導する利用者専用の偏った世界

　ネットサービスが利用者の嗜好や属性などに合うようなものを検索結果として表示したり、リコメンドしたりすることにより、利用者が自分の好みに合ったものしか見えなくなることを指す言葉。ネットショップでは過去の購買履歴などの個人情報から商品にフィルターをかけてリコメンドし、ニュースサイトでは日頃の閲覧傾向などを元に表示するニュースを取捨選択する。利用者にとっては自分の好みなどを推定した上でリコメンドしてくれるのでそれが当たっていれば大変便利だが、常に同じ一定の傾向のものを選ぶことが多くなる。そのため常に同じような商品、同じようなニュース、意見に接し、エコーチェンバーのようにそれ以外の選択肢が見えなくなりやすい。（一田）

[関連用語]
　　エコーチェンバー　アルゴリズム・アカウンタビリティ

フェイクニュース、誤情報
いまだに定義すらあいまいなハイブリッド戦兵器

　フェイクニュースはアメリカ大統領選をきっかけに日本でも有名

となり、さまざまな状況で多様な使われ方をしている言葉である。もはや単純に誤った情報という意味ではくくりきれない。誤情報、misinformation、computational propaganda、disinformation campaign などの呼称もある。また、本書ではネット世論操作の一部としてフェイクニュースを位置づけている。

　ネット世論操作は情報操作による世論操作を指し、それには情報の発信と、敵対する相手の情報の発信の監視、抑制が含まれる。フェイクニュースは情報発信のひとつである。

　フェイクニュースの定義は決め手となるものがない。きちんと定義できれば自動検知もできるはずなので、当然とも言える。

　日本のファクトチェック組織であるファクトチェック・イニシアティブ（FIJ）では、情報の「事実言明」を検証することになっており、その判定は９つのレーティングに別れる（レーティングがない場合もある）。このレーティングには「ミスリード」（釣り見出しや重要な事実の欠落などにより、誤解の余地が大きい）、「虚偽」（事実でないと知りながら伝えた疑いが濃厚である）という情報発信者の意図を推定しての判断も含まれている。

　定義の多様性について整理してある、データ＆ソサエティ研究所にレポート「デッド・レコニング──「フェイクニュース」のコンテンツ管理の案内（Dead Reckoning　Navigating Content Moderation After "Fake News"）」の該当箇所をまとめると表のようになる。

　フェイクニュースという言葉は立場の異なる相手を攻撃する際に用いられる。トランプ大統領がいい例である。気にくわないメディアをフェイクニュースと名指しで攻撃している。大手メディアに対

して批判的な非主流メディアや個人がフェイクニュースと批判する
のもこれに当たる。主として大手メディアへの批判の際に用いる言
葉になっている。為政者がこういう使い方をする時の影響は大きい
し、フェイクニュース対策法という名の下に自分に批判的なメディ
アを潰す際にも用いられる。

　もうひとつは問題のある内容を含むニュースである。こちらの方
が我々が一般にイメージするものに近い。問題のとらえ方によって
３つに分類できる。

◉配信者の意図による定義

　配信者がどのような意図を持って書いたかによってフェイク
ニュースに該当するかどうかを判断する方法が最初の定義方法だ。
だましたり、被害を与えるような意図で作られていたらフェイク
ニュースというわけだ。

　しかし、これは「ポーの法則」が当てはまる。その情報がネタで
あるのか、それとも真面目な主張なのかは判別不可能というもので
ある。

◉フェイクニュースのタイプで分類し定義

　フェイクニュースのタイプで区分し定義する方法である。ここで
は代表的な２つを紹介する。

　マルク・フェルストラーテの５分類＝噂（hoaxes）、プロパガンダ
（propaganda）、トロール（trolling）、風刺（satire）、ユーモア（humor）。

　クレア・ワードルの７類型（「Fake news. It's complicated.」
2017年２月16日、First Draft）＝風刺、パロディ（satire, parody

悪意はないが、信じる人がいる可能性はある）、間違った関連付け
（false connection　内容と関係のない見出し、画像、キャプショ
ンがついている）、ミスリーディング（misleading content　テーマ
や個人についてミスリーディングするような情報の使い方をしてい
る）、間違い（false content　正しい内容と間違った内容が混在して
いる）、なりすまし（imposter content　情報源をなりすます）、操作
的（manipulated content　正しい情報や画像をだます目的で操作す
る）、ねつ造（fabricated content　　100％ウソの内容を作り出し、
だましたり被害を与える）。後の方ほどウソの度合いがひどくなる。

　なお、この7類型は意図を基準にしているが、作成者の手を離れ
て流布しているニュースからその意図を正確に推し量ることは難し

ネット世論調査とフェイクニュース

フェイクニュースの定義		事例	問題点
大手メディアへの批判		非主流メディアやトランプ大統領	単なる批判、非難
問題のある内容を含むニュースの区分	意図	意図による定義の試みがいくつかなされており、同研究所でも行われている	作成者の意図を知ることは難しい。ポーの法則も働く
	タイプ	フェイクニュースの分類 Mark Verstraete などから提案されている。日本ではよくこれが引用される	分類した際、それぞれの分類に明確なラインを引くことが難しい
	特徴	Credibility Coalition やフェイスブックのようなプラットフォーム	全ての文化的な差異などを考慮に入れて判断するのは難しい

『フェイクニュース　新しい戦略的戦争兵器』より抜粋

いという基本的な問題がある。ニュースを受け取った人には制作者の意図はわからないし、そもそも考えないことの方が多いだろう。

●特徴による定義
　特徴による定義では、文字数、使用する言葉の頻度、句読点の使い方、外部リンク先、ビジュアルなどのフェイクニュース共通の特徴を抽出する。AIの応用も試みられている。実際に行うためには資金と時間と人手があるグーグル、フェイスブックなどに限定される可能性が高い。

　結論として決め手になるものはないのだが、明確な定義がないことは大きな問題を孕んでいる。政府によるフェイクニュースに対する法規制の際に、その定義を政府に都合よく明文化したり曖昧にして政府の都合のよい運用を行って、言論抑圧に用いることができるためである。（一田）

［関連用語］
　　ファクトチェック　ポーの法則
［参考］
　　ファクトチェック・ガイドライン（第2版）（2019年4月2日、ファクト
　　チェック・イニシアチブ）
　　　https://fij.info/introduction/guideline
　　Dead Reckoning　Navigating Content Moderation After "Fake
　　News(2018年2月、Robyn Caplan, Lauren Hanson, and Joan
　　Donovan、データ＆ソサエティ研究所）
　　　https://datasociety.net/output/dead-reckoning/）

フェイクニュース対策法

ほとんどのフェイクニュース対策法は
言論抑制に用いられている

　フェイクニュース対策法は文字通り、フェイクニュースを法律によって抑制しようとする試みである。よく知られているのはドイツのネットワーク執行法やフランスの情報操作との戦いに関する法律であるが、その他にもさまざまな国で立法が行われた。

　ただし、フェイクニュース対策法には大きな問題がある。フェイクニュースの定義が難しく、恣意的な運用が可能となり、言論弾圧の道具となってしまう可能性を秘めている。実際、フェイクニュース対策法の議論には必ず、言論の自由とのバランスの問題が入ってくる。すでに立法され、運用されている国でも実質上言論統制に利用されているものもある。

　たとえば、フェイクニュース対策法での世界最初の逮捕はマレーシアで起きた。マレーシアでパレスチナ人が殺害された際、警察が50分もかかって到着したことが理由だとSNSに投稿し、ユーチューブにビデオを投稿したデンマーク人が逮捕された。マレーシア警察は8分で到着したと主張し、容疑者も間違いだったと認めたため、有罪となり、1カ月の懲役となった。だが、本来の目的とは違う運用だった。同法の主たるターゲットは政府批判者だ。なお、この法律は政権交代に伴い、近く廃止される見通しである。

　また、2017年にベトナムで公開された新しいサイバーセキュリティに関する法律は幅広い項目を網羅しており、グーグルやフェイ

スブックなどの外資系企業にサーバをベトナム国内に置くことを命じる条項も含まれていた。また、記述が曖昧であるためサイバーセキュリティの名を借りた検閲が行われるのではないかという危惧も拡がっている。

　世界のほとんどの国が「完全な民主主義」（民主主義指数参照）ではない以上、そこで立法されるフェイクニュース対策法には、問題がある可能性が高い。（一田）

［関連用語］
　　フェイクニュース　民主主義指数　ネット世論操作産業
［参考］
　　First person convicted under Malaysia's fake news law（2018
　　　年4月30日、ガーディアン）
　　https://www.theguardian.com/world/2018/apr/30/first-
　　　person-convicted-under-malaysias-fake-news-law
　　Vietnam's Internet is in trouble（2018 年 2 月 19 日、The
　　　Washington Post）
　　https://www.washingtonpost.com/news/theworldpost/
　　　wp/2018/02/19/vietnam-internet/

プロパガンダ・パイプライン
フェイクニュース・パイプライン
フェイクニュース拡散メカニズム

　プロパガンダ・パイプラインとは「ネットワークプロパガンダ——アメリカ政治における操作、偽情報、急進化（Network Propaganda: Manipulation, Disinformation, and Radicalization in American Politics.）」の中の「プロパガンダ・パイプライン——周縁から中心部をハッキングする（The Propaganda Pipeline: Hacking the Core from the Periphery）」で示されたプロパガンダが拡散するメカニズムの呼称である。近年のマスメディアはSNSやブログなどのネットの情報を紹介するようになっており、これにうまく乗ることでプロパガンダを効率的にマスメディアに露出させ、拡散することができる。いわばメディアのエコシステムのハッキングだ。

　前出のレポートでは2016年のアメリカ大統領選では、SNSや掲示板などの情報が右派サイトで記事になり、それをマスメディアが取り上げて拡散していたとしている。

　日本ではポータルサイトでのニュース接触が多いことから、アメリカとは異なる拡散経路をたどることになる。それを研究した「フェイクニュース生成過程におけるミドルメディアの役割——2017年衆議院選挙を事例として』では、SNSなどの情報がミドルメディアに掲載され、それがポータルサイトに掲載されて拡散するフェイクニュース・パイプラインが存在するという。

　アメリカではメディアのエコシステムによって拡散されていた

が、日本ではミドルメディアからポータルサイトへのニュース配信によって拡散している点が異なっている。またミドルメディアでは元となる SNS の書き込みなどを特定することが難しく、記事の検証が困難であると指摘している。（一田）

［関連用語］

ネット世論操作産業　ミドルメディア

［参考］

Network Propaganda: Manipulation, Disinformation, and Radicalization in American Politics.（2018 年 10 月、Yochai Benkler, Robert Faris, Hal Roberts、Oxford Scholarship Online）

https://www.oxfordscholarship.com/view/10.1093/oso/9780190923624.001.0001/oso-9780190923624

フェイクニュース生成過程におけるミドルメディアの役割　2017 年衆議院選挙を事例として（2019 年 10 月、藤代裕之、情報通信学会誌）

https://www.jstage.jst.go.jp/article/jsicr/37/2/37_93/_pdf/-char/ja

ポーの法則
ネタと本気の区別は不可能

2005 年 8 月 10 日にネイサン・ポーが「POE'S LAW」として、ネタだとわかるものをつけないと、本気で言ってることと区別がつ

かなくなるよ、と掲示板に書き込んだことから生まれた法則。

　ネット上のトンデモ科学などの過激な主張と、パロディや笑いを取るためのネタには区別のつきにくいものも多い。そのため、冗談とわかるなにかをつけないと、本当の意図がわからないことになるという法則である。

　ネットの情報発信者の意図を推し量ることは困難（ほぼ不可能）なため、フェイクニュースの定義において情報発信者の意図（騙し、ミスリード、誇張など）を含めるのは難しいという時にも使われる。（一田）

［関連用語］
　　フェイクニュース　ファクトチェック
［参考］

　　Christian Forums　Big contradictions in the evolution theory（2005 年 8 月 10 日、https://www.christianforums.com/threads/big-contradictions-in-the-evolution-theory.1962980/page-3#post-17605750）に投稿された。

　　ネットの投稿が"ネタ"か本気かを判断するには、「ポーの法則」が役に立つ（2017 年 07 月 11 日、WIRED、https://wired.jp/2017/07/11/poes-law/）

ホームグロウン
洗脳され扇動された人々

　地元で育った人間のことをホームグロウンと呼ぶが、サイバーセキュリティあるいはネット世論操作においては、海外に対して干渉する際に、相手国の国内在住者を仲間に引き入れて利用することがある。その相手のことをホームグロウンと呼ぶ。

　ネット世論操作の実態が明らかになるにつれてSNS事業者や法執行機関などがボットやトロールなどを検知し、アカウントを停止することが増えた。インターネット・リサーチ・エージェンシー（IRA）などはこれらの規制に先立って、ホームグロウンをリクルートして攻撃を行うようになっている。ホームグロウンも中には自分たちが自国を攻撃するために利用されていることを意識しておらず、自らの意思で発言を拡散するなどしている。この場合、SNS事業者は発言の内容にヘイトや犯罪など明らかに利用規約に反しているのでない限り、ホームグロウンのアカウントを停止することができないという。なぜなら彼らは自分の意思で活動しているのであり、見かけ上の挙動もボットやトロールとは異なるからだ。（一田）

[関連用語]
　　ネット世論操作産業　ボット、トロール、サイボーグ
　　インターネット・リサーチ・エージェンシー（IRA）
　　クレムリンのトロイの木馬

ボット、トロール、サイボーグ

フェイクニュースを投稿、拡散するネット世論操作の道具

　特定の主張やデマを拡散し、ネット世論操作を行う際、多数のアカウントを使うことがある。その際に用いられるのが、ボット、トロール、サイボーグである。

　トロールは人間が操るアカウントで、通常はひとりの人間が複数のアカウントを使い、それぞれ特定の職業や人種など作戦に適したキャラクターになりすまして発言したり、他の人の発言を拡散したりする。

　ボットはプログラムによって自動運用されるアカウントである。近年では AI を使うことによって、より効果的、人間的な拡散や発言を行えるようになっている。

　サイボーグはシステム支援によって高速、効率的に、主張やデマを発言、拡散するために人間が運用しているアカウントである。

　これらは多くの人々がその主張やデマをサポートしていると錯覚させる効果があり、一般の同調者を増やすことにつながる。ネット世論操作における基本ツールのひとつと言える。

　委託型ビジネスとしてこれらを使ったネット世論操作を請け負う業者や、トロールのためのアカウントを販売する業者、ボットのシステムをレンタルあるいは販売する業者などさまざまな業者が存在し、ネットで検索することによって見つけられる安価な業者もある。

　多数の人間を使ってネット世論操作を仕掛ける組織は、「トロール工場（Troll Factory）」あるいは「キーボード・アーミー（Keyboard

Army)」と呼ばれることもある。

　これらの行動は一定のパターンが見つかることが多く（特定時間帯の投稿が多い、1日の投稿数が極端に多いなど）、それを元に検知することも行われている。フェイスブック社やツイッター社は定期的に特定の政府、組織のために活動しているアカウントを発見し、停止している。（一田）

[関連用語]
　ネット世論操作産業　ハイブリッド戦　ボットネット
　インターネット・リサーチ・エージェンシー（IRA）

ボットネット
多数の端末をゾンビ化して操るネット

　一般的には、マルウェアなどによりゾンビ化された多数の端末（ボット）で構成されるネットワークのこと。および一般ユーザーの利用している端末を乗っ取ったあと、それらをオンラインで操ることで、多様なサイバー攻撃を可能とする仕組み。単純な攻撃の例としては、ボット化した大量の端末にDDoSの一斉攻撃を仕掛けるよう指示する、あるいはマルウェアやアドウェアなどを分散させるなどの手法が挙げられる。

　一昔前までは、ゾンビ化されるボット＝サイバー犯罪者によって乗っ取られたPC（あるいはスマートフォン）と考えられる傾向が強

かった。しかし数年前からは、IoT グッズを乗っ取ってボットネットを構成するケースが爆発的に増えた。

2016 年に発見されたマルウェア「Mirai」が乗っ取りの標的としたのは、セキュリティの甘い IoT デバイスだった。つまり「オンラインに接続された無防備なデバイス」を発見しては次々とマルウェアを埋め込むという手法でボットの数を増やし、そのネットワークを拡大させる手口だ。この Mirai によって構成されたボットネットは深刻な規模の DDoS 攻撃を引き起こした。セキュリティジャーナリストの第一人者、ブライアン・クレブスのウェブサイト「Krebs on Security」も、この Mirai のボットネットによる DDoS 攻撃で一時的なサービス停止に追い込まれている。この DDoS 攻撃で記録された 620Gps（ピーク時）という数値は、当時としては未曾有の規模だった。

このように IoT デバイスで形成されたボットネットは、「デバイスの持ち主もまったく気づかぬまま、いつのまにか他人への攻撃に利用されてしまう」という点、そして「安価な IoT のデバイスを売る側も買う側も、デバイスがゾンビ化されることに対する危機感が低いため、ボットネットがどんどん拡大してしまう」という点、そして「莫大な量の IoT デバイスを取り込んだボットネットは、それほど知識のない人物にも簡単に悪用できる点」が厄介で、それは誰もが気軽に大規模な攻撃を仕掛けられるという危険性を孕んでいる。

以上は一般的なボットネットの説明となる。しかしボットネットとは「ボットのネットワーク」のことなので解釈は非常に広い。たとえば昨今では、SNS で暗躍する大量のボットアカウントのネットワークも「ボットネット」と呼ばれることがあるのでややこしい。これら

は実在する人間の手動アカウントになりすますため、AI などを利用してプロフィールの画像や文章まで機械的に生成され、大量に生産されるアカウントの一群だ。それらは定期的に投稿し、また互いに支持しあい拡散しあうことでオンラインでの印象操作に広く用いられている。人間のアカウントになりすましたボットアカウントを発見しては通報するユーザーも少なくないのだが、より見分けづらい新たなアカウントの大量生産の技術は日増しに進歩している。(江添)

[関連用語]
　　ブライアン・クレブス　IoS（Internet of Shit）
　　ボット、トロール、サイボーグ

マルウェア産業革命
マルウェアは国家を巻き込む産業になった

　2000 年頃からマルウェアに亜種が作られるようになり、これにともなってマルウェア開発はじょじょに分業化が進み、脆弱性の発見、開発キットの作成、マルウェアの開発、散布などに分かれ、それぞれの主要なアクターも異なってきた。
　並行してサイバー犯罪の組織化(ロシア・ビジネスネットワーク、スパムネイションも参照) も進み、国家によるサイバー兵器の開発や利用も進むようになった。
　2010 年前後からサイバー空間における国家の存在は大きくな

り、未知の脆弱性やマルウェアに多額の予算を投じるようになった。それを請け負うサイバー軍需企業が増加していった。

今や脆弱性情報は高価な兵器となった。最新の脆弱性情報があれば、サイバー兵器やマルウェアなどを作ることができる。政府は予算をたっぷり提供するし、サイバー犯罪の市場規模は年を追うごとに拡大している。例えば Zeus というマルウェアは、銀行口座などから現金を盗むなどして全世界で 500 億円以上の被害をもたらしたと言われている。

一方、マルウェアが増えて困る、ハードないしソフトベンダ、特に金に余裕のあるグーグルやマイクロソフト、フェイスブックなどは、こぞって多額の報奨金制度を用意した。かくしてマルウェア市場は拡大する。

2010 年前後から顕著になったこの変化を「マルウェア産業革命」と呼んでいる。具体的には、下記を特徴とする。
●マルウェア開発の分業化と国際的なネットワークの形成
●マルウェア市場への政府セクターの参入、予算の投入
●グーグルやマイクロソフト、フェイスブックなど民間企業からの資金提供（脆弱性発見への報奨金など）

マルウェア産業は脆弱性を起点にサイクルとエコシステムを持っている。
●安価なマルウェア開発キットの流布とユーザーサポートの充実により、特別な知識や技術なしに手軽にマルウェアを開発可能

マルウェア産業はおおまかつぎのような構造となっている。
●新しい脆弱性が発見される。偶然に発見することもあるが、脆弱

性の発見と販売を商売にしている企業も存在する。

●ブラックマーケット、政府機関、民間企業のいずれかに脆弱性情報を売る。

　　政府機関は国民や反体制派、仮想敵国を監視するマルウェアを作成するために脆弱性情報を買う。

　　ブラックマーケットの買い手は、マルウェア開発ツールキットを作るために買う。

　　民間企業は、前二者の金額をにらみながら、報奨金をつり上げる。そのため脆弱性発見イベントの賞金は回を追うごとに高くなっている。

●政府機関に売られた脆弱性情報は、サイバー兵器あるいはサイバー諜報活動用マルウェアに利用される。

●ブラックマーケットで販売された脆弱性情報は、それをもとにマルウェア開発キットが作られる。マルウェア開発キットとは、専門家やハッカーでなくても、ある程度の知識があれば、自分でマルウェアを作れるという便利ツールだ。有料のユーザーサポートを行っている業者もあれば、犯罪の実行まで代行する業者もいる。もはやサイバー犯罪にスキルや経験は不要なのだ。最近のマルウェアに亜種が多いのは、たくさんの人間がキットで新しいマルウェアを作っているためだ。

　この産業革命の結果として、マルウェア開発ツールキットの価格は下がり、中にはソースコードが漏洩しているツールキットもある。有償のユーザサポートやサイバー犯罪代行サービスもある。サイバー犯罪を行うためのスキルは不要となり、ハードルは下がった。

　かつて日本語がサイバー犯罪の障壁になっていたが、現在はなくなった。日本をターゲットとしたマルウェアや末端の出し子を募集する日本語のメールが出回るようになった。

　ネットの端末は多様化しており、非 PC の端末（IoT）の防御にはまだまだ課題が多い。つまり、容易に侵入される危険がある。

　これらの変化にさまざまな対策が施されているが、マルウェア産業への参入障壁が下がったことで、「数」が増大していることが解決を困難にしている。昔の子供が万引きしたように、子供がサイバー犯罪を行う時代になりつつある、それも最新のマルウェア開発ツールキットを小遣いで買って。

　すでに気がついている人も多いと思うが、近年日本の警察が捕まえたサイバー犯罪者は子供や末端ばかりである。子供の犯罪が増えているだけでなく、プロも増えているはずだが、そこまで手が回らないのであろう。

　「警察が捕まえられるのは、子供と間抜けだけ」というのは、拙著『もしも家族が遠隔操作で犯罪者に仕立てられたら』の登場人物のセリフである。犯罪が野放しになれば、社会と経済の基盤を揺るがしかねない。マルウェア産業革命の見えない手は、我々の社会を静かに破壊している。（一田）

［関連用語］

　　ロシア・ビジネスネットワーク（RBN）　IoT　サイバー軍需
　　　産業、企業　ガンマグループ
　　ハッキングチーム　NSO グループ　オリンピックゲーム作戦

[参考]

マルウェア産業革命時代の個人情報防衛 第1回 「マルウェア産業革命とは」(2013年12月12日)
https://www.excite.co.jp/news/article/Scannetsecurity_33150/

日本人マルウェア開発者インタビュー(前編) プログラムの「悪意」とは(2017年10月16日、THE ZERO/ONE)
https://the01.jp/p0005947/

日本人マルウェア開発者インタビュー(後編) 攻撃者が考える「良いセキュリティ専門家」とは?(2017年10月27日、THE ZERO/ONE)
https://the01.jp/p0005972/

凶悪ウィルス作成キットが闇市場で16万円!? マカフィー FOCUS JAPAN 2012(2012年11月15日、週刊アスキー)
https://weekly.ascii.jp/elem/000/000/116/116825/

マルウェア開発キットもサポート付きの時代! ラック新井氏らが対策を解説——ジャーナルITサミット(2010年6月30日、マイナビニュース)
https://news.mynavi.jp/article/20100630-a057/

ミドルメディア

SNSとマスメディアの中間に位置するメディア(まとめサイトなど)

　藤代裕之『ネットメディア覇権戦争——偽ニュースはなぜ生まれたか』によれば、ミドルメディアとは、SNSとマスメディアの中間に位置するメディアのことをいう。いわゆるまとめサイトなどがこれに当たる。藤代はその中でJ-CASTニュースの誕生をきっかけにミドルメディアという概念を考案したと書いている。ミドルメディ

アには大きく2つの種類がある。

◉利用者のランキングや重要度などで評価していくタイプ
◉人がSNSから話題を見つけて編集するタイプ

　ミドルメディアがSNSで問題がまだ大きくなっていない時点で取り上げて、広げ、それをマスメディアが取り上げてさらに拡散し、「炎上」するメカニズムを統計的に検証している。

　その後、藤代は議論を深めた「フェイクニュース生成過程におけるミドルメディアの役割」を発表し、ミドルメディアがフェイクニュースを生み出しており、それがポータルサイトに配信される「フェイクニュース・パイプライン」の存在を明らかにした。

　藤代の「フェイクニュース・パイプライン」には、先行する研究（「ネットワークプロパガンダ——アメリカ政治における操作、偽情報、急進化 [Network Propaganda: Manipulation, Disinformation, and Radicalization in American Politics]」）もあるが、日本固有の背景を踏まえたものとなっている。アメリカでは成人の68%がSNS経由でニュースを、日本ではポータルサイトが84.5%と大きい。そのため日本においてはフェイクニュースの拡散過程におけるポータルサイトの役割は大きく、そこに記事を配信しているミドルメディアの影響もまた大きい。

　余談であるが、アメリカの68%という数値はネットに限定しないニュース接触であり、日本の84.5%はネットでニュースを見る時に限定した数字である。アメリカの成人がどれほどSNSに依存してニュースを閲覧しているかがわかる。（一田）

[関連用語]

　　フェイクニュース

　　フェイクニュース・パイプライン、プロパガンダ・パイプライン

[参考]

　　『ネットメディア覇権戦争――偽ニュースはなぜ生まれたか』（2017 年 1
　　　月 17 日、藤代裕之、光文社新書）

　　フェイクニュース生成過程におけるミドルメディアの役割（2019 年 10 月
　　　29 日、藤代裕之、情報通信学会誌、https://www.jstage.jst.go.jp/
　　　article/jsicr/37/2/37_93/_article/-char/ja/）

　　Network Propaganda: Manipulation, Disinformation, and
　　　Radicalization in American Politics』（2018 年 10 月 15 日、
　　　Benkler, Yochai, Robert Faris, and Hal Roberts　Oxford
　　　Univ Pr on Demand）

　　『News Use Across Social Media Platforms 2018（2018 年 9 月
　　　10 日、ELISA SHEARER 、KATERINA EVA MATSA、https://
　　　www.journalism.org/2018/09/10/news-use-across-social-
　　　media-platforms-2018/）

　　第 11 回 メディアに関する全国世論調査（2018 年）（2018 年 10 月 27
　　　日、公益財団法人新聞通信調査会、https://www.chosakai.gr.jp/
　　　wp/wp-content/uploads/2018/10/2018102705-02.pdf）

民主主義指数
世界各国の民主主義の状況を指数化

　民主主義指数とはエコノミスト・インテリジェンスユニット（英

『エコノミスト』誌の研究所）が 2006 年から指数を公開している指標で、最新版は 2019 年の「Democracy Index 2018: Me too? Political participation, protest and democracy」である。

　この指標では、民主主義を選挙の手続きと多様性、政府機能、政治参加、政治文化、人権という 5 つのカテゴリーごとに指数化しており、このうち選挙の手続きと政治参加以外のカテゴリーは指標ができた 2006 年以降、悪化の一途をたどっている。中でも政府機能（透明性、説明責任、腐敗）、人権は 5 つのカテゴリーの中でも最低スコアとなっている。人権が急速に低下しているのと対照的に政治参加は急速に上昇している。

　各国別のランキングを見ると、上位は欧米に占められる。20 位までの国が完全な民主主義のスコアとなっている。欧米以外で 10 位以内に入っている国はニュージーランドとオーストラリアだけ、20 位以内だとウルグアイとコスタリカが加わる。ちなみに日本は 22 位で、欠陥のある民主主義に分類されている。アメリカは 25 位である。

　完全な民主主義が実現されている 20 カ国の内訳は欧米の一部と 4 カ国ということになる。人口では世界のたった 4.5% であり、GDP では 20% を下回る。完全な民主主義は人口でも経済でも世界のごく一部を占めるに過ぎなくなっている。世界における民主主義の存在感、影響力は低下していると言わざるを得ない。

　日本は 2014 年までは完全な民主主義だったが、2015 年以降は欠陥のある民主主義に転落した。アメリカは 2016 年、韓国は 2015 年、ギリシャは 2010 年に完全な民主主義ではなくなった。ただ、その一方できわめて低い水準（独裁）だった国々の状況は改善されて

いることも多い（ただし、完全な民主主義になったわけではない）。

　瑕疵のある民主主義（43.2%）までを含め、なんらかの形で民主主義である国は全体の47.7%（43.2%+4.5%）となっているが、どこまでを民主主義国家として考えるかは難しい。たとえば人権の保護などの民主主義的価値観を守るという観点で考えると、瑕疵のある民主主義の国は、全体主義や独裁主義国に経済協力や軍事協力を行うため、民主主義の枠内に入れるのは難しくなる。

　なお、エコノミスト・インテリジェンスユニットは民主主義の凋落は底を打ち、今後は回復するという希望的観測を述べている。（一田）

[関連用語]
　　　ネット世論操作産業
[参考]
　　　Democracy Index 2018: Me too? Political participation,
　　　protest and democracy
　　　https://www.eiu.com/n/democracy-index-2018/

メディア・リテラシー
暗礁に乗り上げたデジタルメディアのメディア・リテラシー

　メディア・リテラシーとは文字通り、メディアを使いこなすための素養である。具体的な定義はさまざまであるが、多くの定義に共通してるのは、多様なメディアにアクセスできること（受信と発信）、情報を取捨選択し理解し分析し評価し創造できることである。現代

社会には SNS を始めとする多種類のメディアに莫大な量の情報が流れており、その中にはフェイクニュースやヘイトのような好ましくないものや根拠のないものが多数含まれる。情報を活用するためにはメディア・リテラシーが不可欠となっている。メディア・リテラシーには、批判的思考（クリティカル・シンキング）が不可欠であり、情報を検証しながら活用しなければならない。

ネット世論操作に対抗するための方法としてもメディア・リテラシーがあげられることも多い。フェイクニュースを検証する際の「ファクトを確認する」「情報源を確認する」が批判的思考そのものなのである。

しかし、多くのプロパガンダ・メディアは批判的思考と同じことを主張し、利用者を取り込もうとしている。プロパガンダ・メディアは既存の大手メディアや政府発表の「ファクトを確認する」「情報源を確認する」ことを訴える。どのような大手メディアも深く調べれば誤報などの不祥事を起こしたことはある。それをもってプロパガンダ・メディアは大手メディアは真実を語らないから情報源として信頼に値しないと結論する。また、ファクトの検証ではプロパガンダ・メディアにとって都合のよいファクトはネットを探し回ればどこかで見つかる。プロパガンダ・メディアは大手メディアや政府が真実を語っていないと訴え、それ以外のファクトを提示して自分たちの主張を行ったり、大手メディアや政府の発表を否定する。批判的思考だけではこれに対抗することは難しい。

データ＆ソサエティ研究所のダナー・ボイドのスピーチ「君もメディアリテラシーがあったらいいと思う……よね？（You Think You Want Media Literacy… Do You?)」（2018 年 SXSW の教育

セッションのスピーチ）によれば、こうした主張に対抗するためには相手の世界観を理解し、その中での論理的瑕疵や検証不足を見つけなければならないという。同時に自分自身の世界観と偏りも理解しなければならない。互いの世界観から相手を批判しているとただ平行線になるだけだ。「ファクトを確認する」「情報源を確認する」のは、相手の世界観を理解した後の検証としている。（一田）

[関連用語]
　　ファクトチェック　フェイクニュース
[参考]
　　You Think You Want Media Literacy… Do You?（2018 年 3 月 9 日、データ & ソサエティ研究所）
　　https://points.datasociety.net/you-think-you-want-media-literacy-do-you-7cad6af18ec2

ランサムウェア
ファイルやPCなどを人質に身代金を要求

　身代金（ransom）を要求するマルウェア。感染先の端末のファイルを暗号化し、「復号したければ○○時間以内にビットコインを振り込め」と表示するのが典型的な手口。数年前から猛威を振るっており、特に WannaCry の脅威は日本でも大きく報じられた。
　基本的には感染先のデータ（あるいはシステム）を人質に取って脅迫するだけのクライムウェアなので、適切な環境でこまめにバック

アップを取っている個人ユーザーならば、単に OS を再インストールするだけで済むケースが多い。自身の存在を隠して諜報活動を続けるスパイウェアに比べれば、単純明快なマルウェアだといえる。しかし多数の顧客を相手にしている企業やインフラなどのシステムが感染した場合には、甚大な被害を受けかねない。状況を把握し、被害の拡大を食い止め、またネットワークを再構築するなどの措置には「重要なサービスの一時中止」が伴うこともあるからだ。

2013 年、マサチューセッツ州スワンシーの警察が CryptoLocker の要求に応じて 750 ドルの身代金を支払った際には「警察が犯人に身代金を払うなんて」という失笑の声も聞かれたが、それ以降は数えきれぬほど多くの政府機関、法執行機関がランサムウェアに感染してきた。この項を執筆している最中にも、カナダのヌナブト準州の通信ネットワークがランサムウェアに感染し、すべての行政サービスが影響を受けるというニュースが伝えられたばかりだ。

周知のとおり、ランサムウェアの使い手に身代金を払っても、本当に暗号キーが送られてくる保証はないのだが、それでも被害者が一縷の望みを託して金を支払うケースは後を絶たない。二十四時間体制で人命にかかわる業務を行っている組織、あるいは何らかの理由で「感染の事実を知られたくない」団体などが、恐喝に応じやすい被害者の例として挙げられるだろう。特に病院のシステムには元よりセキュリティの問題が山積みになっているせいもあってか、2016 年以降は医療機関を標的としたランサムウェアの活動が数多く報告されてきた。

普段からサイバーセキュリティの話題に免疫のない組織が感染した場合、ランサムウェアに指示されたとおり「ビットコインの支払

い」をしようにも方法が分からず、支払いの締切り時間に追いたて
られてパニックを起こしながら右往左往するといったエピソードも
よく聞かれる。（江添）

[参考]

Nunavut ransomware attack impacting 'all government
services'（2019 年 11 月 3 日、CBC）
https://www.cbc.ca/news/canada/north/nunavut-
government-ransomware-1.5346144

Swansea police pay $750 "ransom" after computer virus
strikes（2013 年 11 月 15 日、Te Herald News）
https://www.heraldnews.com/x2132756948/Swansea-
police-pay-750-ransom-after-computer-virus-strikes

McAfee Labs 脅威レポート（2016 年 9 月、マカフィー）
https://www.mcafee.com/enterprise/ja-jp/assets/reports/
rp-quarterly-threats-sep-2016.pdf

APT（Advanced Persistent Threa）

パンダやクマの名前をつける国際ハッカーグループ

　APT はサイバー攻撃のひとつで、JPCERT コーディネーション
センターの『高度サイバー攻撃（APT）への備えと対応ガイド』に
よれば、「明確な長期目標に基づく作戦行動のような活動が見られ
る」「活動を遂行するために巧妙に仕組まれたインフラ／プラット
フォームがある」「標的とする組織の従業員に対する諜報活動を行う

能力がある」「目的達成のために、さまざまなテクニックやソフトウェアを組み合わせることができる」「侵入検知や各種インシデント対応措置に対して速やかに適応し攻撃手法を改変する能力がある」を特徴とする、「先進的で（Advanced）」「執拗な（Persistent）」「脅威（Threat）」である。

　高度な技術や長期間にわたる関心の維持などのためのリソースを必要とするため国家や規模の大きなテロ組織あるいはサイバー犯罪組織によって実行される。APTの後に番号を振って攻撃主体を識別している。APT1（中国人民解放軍総参謀部第三部二局61398部隊、PLA Unit 61398）、APT28（Fancy Bear、ロシアのGPU）といった具合である。中国（APT41、APT40,APT30、APT19、APT18、APT17、APT16、APT12、APT10,APT3、APT1等）のサイバー攻撃が有名だが、その後ロシア（APT29、APT28）、イラン（APT39、APT34、APT33）、北朝鮮（APT38、APT37）、ベトナム（APT32）などでも確認されるようになった。

　数字以外に動物の名前の別称もつけられており、サイバーセキュリティ会社クラウドストライクは国ごとに動物を割り当てている。たとえば中国はPanda（パンダ）、ロシアはBear（クマ）、北朝鮮はChollima（千里馬、伝説の翼を持つ馬）、イランはKitten（子猫）、ベトナムはBuffalo（バッファロー）、インドはTiger（虎）、韓国はCrane（鶴）である。国家以外では、活動団体がJackal（ジャッカル）、犯罪組織がSpider（クモ）となっている。たとえばAPT28の別称はFancy Bear（ロシアなのでクマ）で、その正体はロシア連邦軍参謀本部情報総局（GRU）となる。（一田）

[関連用語]

Operation Shady RAT　Intrusion Truth

タイタン・レイン　ロシア連邦軍参謀本部情報総局（GRU）

[参考]

高度サイバー攻撃（APT）への備えと対応ガイド（JPCERT/CC、2016
年 3 月 31 日）

https://www.jpcert.or.jp/research/20160331-APTguide.pdf

APT 攻撃グループ　主要なサイバー攻撃者の素性を解説（APT41、
APT40、APT39、APT38、APT37、APT34、APT33、APT32、
APT30,APT29,APT28、APT19、APT18、APT17、APT16、
APT12、APT15、APT10、APT3、APT1 の解説がある）

https://www.fireeye.jp/current-threats/apt-groups.html

Threat Actor Map（世界地図で APT アクターごとに地域や概要を確
認できる）

https://aptmap.netlify.com/

Meet The Threat Actors: List of APTs and Adversary Groups
（2019 年 2 月 24 日、CrowdStrike）

https://www.crowdstrike.com/blog/meet-the-adversaries/

IoS (Internet of Shit)

モノのインターネット?　クズのインターネット

　IoT（Internet of Things）と呼ばれる製品の増加に伴い、これま
でに数多くの IoT グッズの脆弱性が指摘されてきた。それらはユー
ザーの個人情報をあっさりと危殆化するだけではなく、ユーザーの
プライバシーを侵害したり、グッズがボットネットに取り入れられ

て他者を攻撃するための踏み台にされたりといった問題も孕んでいる。またグッズそのものに意図せぬ動作が引き起こされれば、ユーザーの日常生活や生命まで脅かされかねない。

　現在ではさまざまなグッズ（調理用品や照明器具などの家電、スケートボードやぬいぐるみなどの玩具、電子鍵やサーモメーター、銃器、スーツケース、猫用自動給餌器やアダルトグッズなど）がインターネットに接続されている。製品開発の際にセキュリティを度外視し、ただ「せっかくだからインターネットに繋いでスマホからも操作できるようにしただけ」「SNSにアップするときの操作を楽にしただけ」のような安直で脆弱な製品も少なくない。それらの脆弱性は、セキュリティ関連のイベントで観客を集める際に恰好の「楽しいハッキング実験」のネタともなっている。

　一部の人々は、それらの製品を「IoS（Ineternet of Shit）」と呼び始めた。これは文字通り、クソのようなIoTグッズを指す言葉だ。現在では「The Internet of Shit」によるIoS製品紹介のインデックスや、ツイッターを介した情報発信のサービスも存在している。これらは購入者に対し、「本当にインターネットへ接続する必要があるのかどうか」「その危険に見合う利点があるのかどうか」をいったん冷静に考えることの重要性を訴えるものだろう。（江添）

[関連用語]
　「インターネット・センサス2012」
[参考]
　The Internet of Shit Guide
　　https://internetofshit.net/home

Internet of Shit
    https://twitter.com/internetofshit
Things of Internet: How smart devices fail because of their
    Web dependence（2018 年 12 月 3 日、Kaspersky ブログ）
    https://www.kaspersky.com/blog/things-of-
    internet/24799/

OSINT
公開情報から真実を突き止める調査技術

　公開されている情報を元に行われる調査、諜報活動を OSINT
（Open-source intelligence）と呼ぶ。他の方法には通信傍受に
よって情報収集分析する SIGINT（Signals intelligence）や人間か
ら情報収集分析する HUMINT（Human intelligence）などがある。
　近年、ネットで収集できる情報の幅が広がり、深さが増したおか
げで OSINT によって世界に先駆けて隠された真相を暴くベリング
キャットやベン・ニモのような例が増えている。もちろん、単純に
ネットを検索するだけでなく、画像やデータの分析を行っている。
ベリングキャットやベン・ニモの方法論はネット上やワークショッ
プなどで公開されている。（一田）

[関連用語]
　ベリングキャット　ベン・ニモ

[参考]

OSINT 2019 Guide（日本語）

  https://scientia-security.github.io/translation/2019-OSINT-Guide.html

bellingcat

  https://www.bellingcat.com

Measuring Traffic Manipulation on Twitter（2019 年 1 月 15 日、Working Paper 2019.1. Oxford, UK: Project on Computational Propaganda. comprop.oii.ox.ac.uk. 35 pp.）ベン・ニモによるツイッターの分析手法の解説

  https://comprop.oii.ox.ac.uk/research/working-papers/twitter-traffic-manipulation/

謝辞

本書の執筆にあたり、2名の方に査読と助言をお願いしました。
深く御礼申し上げます。

防衛大学校情報工学科 三村守先生

株式会社サイント 代表取締役社長／情報セキュリティ大学院大学
客員研究員 岩井博樹様

　また、サプライチェーン・セキュリティの項目について、先端技術
安全保障研究所所長の小沢知裕様にアドバイス並びに資料をいただ
きました。ありがとうございました。

補足用語について

本書におさめきれなかったいくつかの用語についてはネット上で公
開する予定です。
掲載場所については下記の URL および一田和樹のツイッターアカ
ウント（@K_Ichida）で告知します。

　　https://kakuyomu.jp/works/1177354054889092530/
　　episodes/1177354054893840003

参考文献

『フェイクニュース　新しい戦略的戦争兵器』(2018 年 11 月 10 日、角川新書、一田和樹)

『犯罪「事前」捜査』(2017 年 8 月 10 日、角川新書、一田和樹、江添佳代子)

『情報戦争を生き抜く　武器としてのメディアリテラシー』(2018 年 11 月 13 日、朝日新書、津田大介)

『フェイクニュースを科学する』(2018 年 12 月 7 日、化学同人、笹原和俊)

『信じてはいけない　民主主義を壊すフェイクニュースの正体』(2017 年 6 月 13 日、朝日新書、平和博)

『民主主義の死に方―二極化する政治が招く独裁への道』(2018 年 9 月 27 日、新潮社 、スティーブン・レビツキー、ダニエル・ジブラット)

『Dark Territory: The Secret History of Cyber War』(2016 年 3 月 1 日、Fred Kaplan 、Simon & Schuster)

『@War:The Rise of the Military-Internet Complex』(2014 年 11 月 11 日、Shane Harris、Eamon Dolan / Houghton Mifflin Harcourt)

『INFORMATION MANIPULATION A Challenge for Our Democracies』(2018 年 8 月、the Policy Planning Staff (CAPS, Ministry for Europe and Foreign Affairs) and the Institute for Strategic Rechearch (IRSEM, Ministry for the Armed Forces))

https://www.diplomatie.gouv.fr/IMG/pdf/information_manipulation_rvb_cle838736.pdf

『Dead Reckoning　Navigating Content Moderation After "Fake News』2018 年 2 月、Robyn Caplan, Lauren Hanson, and Joan Donovan、データ＆ソサエティ研究所

https://datasociety.net/output/dead-reckoning/）

『Exporting digital authoritarianism　The Russian and Chinese models』（2019 年 8 月、ブルッキングス研究所）

https://www.brookings.edu/research/exporting-digital-authoritarianism/

『The Global Expansion of AI Surveillance』（2019 年 9 月 17 日、カーネギー国際平和財団）

https://carnegieendowment.org/2019/09/17/global-expansion-of-ai-surveillance-pub-79847）

『Challenging Truth and Trust: A Global Inventory of Organized Social Media Manipulation』（2018 年 7 月 20 日、Working Paper 2018.1. Oxford, UK: Project on Computational Propaganda. comprop.oii.ox.ac.uk. 26 pp.、Samantha Bradshaw & Philip N. Howard）

https://comprop.oii.ox.ac.uk/research/cybertroops2018/

『Issues & Insights Vol. 19, WP8 – China's Digital Silk Road: Strategic Technological Competition and Exporting Political Illiberalism』（2019 年 8 月 1 日、パシフィックフォーラム）

https://www.pacforum.org/analysis/issues-insights-vol-19-wp8-–-chinas-digital-silk-road-strategic-technological-competition

『ネット世論操作最前線とフェイクニュース（ファクトチェック・イニシアチブ発表資料）』（2019 年 12 月 5 日）

https://www.pixiv.net/fanbox/creator/3901285/post/695689

索引

【カバー写真】Graphs/PIXTA

【著者】

一田和樹（いちだ・かずき）

1958年東京生まれ。コンサルタント会社社長、プロバイダ常務取締役などを歴任後、日本初のサイバーセキュリティ情報サービスを開始。2006年に退任後、作家に。2010年にサイバーミステリ『檻の中の少女』で第3回ばらのまち福山ミステリー文学新人賞受賞。ほかに『サイバーテロ　漂流少女』『サイバーセキュリティ読本』『犯罪「事前」捜査』『フェイクニュース』など。
公式サイト　https://ichida-kazuki.com
ツイッター　https://twitter.com/K_Ichida
ネット世論操作と民主主義（ハーバービジネスオンライン不定期連載）　https://hbol.jp/hbo_series_group_name/ ネット世論操作と民主主義
プレゼン資料などの置き場　https://www.pixiv.net/fanbox/creator/3901285

江添佳代子（えぞえ・かよこ）

インターネット広告、出版等に携わったのち、サイバーセキュリティ関連の翻訳家、フリーライターとして活動を始める。共著に『闇ウェブ』『犯罪「事前」捜査』がある。
ゼロワン 江添佳代子 https://the01.jp/p000author/ezoe/
EZKAY.COM http://ezkay.com

新しい世界を生きるための
サイバー社会用語集

2020 年 3 月 16 日　第 1 刷

著者…………一田和樹／江添佳代子

装幀…………藤田美咲
発行者…………成瀬雅人
発行所…………株式会社原書房
　　　　　　　〒160-0022 東京都新宿区新宿 1-25-13
　　　　　　　電話・代表 03 (3354) 0685
　　　　　　　http://www.harashobo.co.jp
　　　　　　　振替・00150-6-151594

印刷…………新灯印刷株式会社
製本…………東京美術紙工協業組合